초급 한국어 읽기

Reading Korean *for beginners*

초급 한국어 읽기

Reading Korean
for beginners

기획 | 국립국어원 · 한국어세계화재단

집필 | 김정숙 · 조항록 · 이미혜 · 원진숙

 Hollym

Elizabeth, NJ·Seoul

집필

　김정숙(고려대학교), 조항록(상명대학교), 이미혜(이화여자대학교), 원진숙(서울교육대학교)

공동 연구원

　윤희원(서울대학교), 한재영(한신대학교), 김대희(서울교육대학교),

　박주현(서울교육대학교), 전인숙(서울교육대학교), 이소연(서울교육대학교)

보조 연구원

　김지영, 송금숙, 김수미, 김하영

삽화 · 사진

　김미숙, 김응종

초급 한국어 읽기
Reading Korean for beginners

Copyright © 2008 by The National Institute of the Korean Language &
The International Korean Language Foundation

First published in 2008
by Hollym International Corp.
18 Donald Place, Elizabeth, New Jersey 07208, USA
Phone 908 353 1655　　　**Fax** 908 353 0255
http://www.hollym.com

한림출판사
Hollym

Published simultaneously in Korea
by Hollym Corp., Publishers
13-13 Gwancheol-dong, Jongno-gu, Seoul 110-111 Korea
Phone +82 2 735 7551~4 **Fax** +82 2 730 5149, 730 8192
http://www.hollym.co.kr　　　e-mail: info@hollym.co.kr

ISBN: 978-1-56591-248-9
Library of Congress Control Number: 2007942037

Printed in Korea

발간사

'외국인을 위한 한국어 교재'를 발행하며

한국어는 이제 전 세계 70개 나라의 중·고등학교와 대학, 그리고 일반 성인들이 학습하는 세계 10대 언어에 속하는 국제어로서의 위상을 가지고 있는 언어입니다. 또한 650만 명의 재외 국민 자녀들이 주말 학교 등에서 다양한 방법으로 한국어를 배우고 있습니다. 이러한 한국어의 문자인 한글은 세계문화유산에 등재된 인류의 위대한 문화유산입니다.

최근 국제 업무의 원활화, 월드컵 영향, 한류, 관광 등 한국에 대한 관심이 높아져 많은 외국인들이 한국어를 학습하고 있으며 한국어 배우기를 원하고 있는 사람들의 수 또한 과거에 비해 월등하게 많아지고 있습니다. 이러한 때에 한국어를 좀 더 쉽고 체계적으로 배울 수 있도록 하는 교재의 필요성은 학습자와 교사 모두에게 절실하다고 할 수 있습니다. 이 교재는 그러한 학습자와 교사의 요구에 바탕을 두고 개발되었습니다.

그동안 한국어 교재는 많은 기관과 개인에 의해 만들어졌습니다. 그러나 그들 교재는 기관 특유의 성격이나 국가별 특성이 다소 강하여 세계의 모든 한국어 학습자들이 자유롭게 사용하는 데에는 어려움이 있는 것이 사실이었습니다. 이번 한국어세계화재단에서 개발한 이 교재들은 세계의 어느 나라에서나 현지에서 자유롭게 구매할 수 있고 다양한 형태의 교재로 재구성하여 사용할 수 있도록 특별히 국고를 들여 제작한 것입니다. 또한 어느 특정한 집단을 고려하지 않고 누구나 한국어 학습을 원하는 사람에게 사용될 수 있도록 범용 교재로 편찬하였습니다.

그간 교재들은 듣기·말하기·읽기·쓰기의 통합 교재들이 많아 그것이 가진 장점에도 불구하고 각각의 언어 기능을 독립적으로 강조하거나 기능들 간에 유기적인 관계를 유지하면서 체계적인 학습이 되도록 하기에 어려움이 있었다고 할 수 있습니다. 이 교재는 한국어를 처음 접하는 학습자들이 쉬우면서도 체계적으로 학습할 수 있도록 하는 데 목적을 두고 편찬되었습니다. 우선 듣기·말하기·읽기·쓰기의 네 가지 영역으로 분리하여 초급 학습자들에게 필요한 주제와 기능을 선정하고 이에 따른 학습 어휘와 문법, 그리고 연습 활동과 과제를 제시하였습니다. 그리고 과정 중심 학습을 통해 한국어를 정확하게 학습할 수 있도록 하는 데에도 노력하였습니다.

이 교재는 단원 앞에 학습할 목표를 제시하고 다양한 그림 자료를 활용해 스키마를 형성할 수 있도록 하였으며, 단원 중간이나 마지막 부분에 관련 문화를 설명하고, 마지막에 자기 평가를 할 수 있도록 하는 등 처음부터 마무리까지 학습자 스스로가 주도적인 역할을 할 수 있도록 배려하였습니다. 교재에 사용된 다양한 삽화와 사진들은 한국어를 학습하고 교수하는 데 자료로 활용될 수 있도록 한 것입니다. 따라서 이 교재는 말하기, 듣기, 읽기, 쓰기 등 언어 기능별로 독립적으로 학습하고 교수하는 데에도 용이하며 관련된 주제와 기능을 통합하여 학습하고 교수할 수 있는 장점을 가지고 있습니다. 이 교재는 우선 영어로 번역되어 출판되나 곧 다양한 언어로 번역될 예정이며 이후 학습자 워크북과 교사 지침서도 발간될 예정입니다. 따라서 다양한 언어권의 한국어 학습자와 교사들을 위해 널리 활용될 수 있을 것으로 확신합니다.

이 교재를 편찬하기 위한 기획 및 개발은 1999년부터 시작되었습니다. 그동안 고려대 김정숙 교수와 이화여대 이해영 교수의 책임하에 많은 연구진들의 노력으로 개발이 진행되었습니다. 당초 목적은 2001년에 실물 교재로 출판하는 것이었으나 내용을 좀 더 다듬고 보완하여 완성도 높은 교재를 제작하기 위한 작업이 진행되어 오늘에 이르러서야 세상에 내놓게 되었습니다.

우리는 이 교재의 발간이 한국어 교육의 활성화를 위한 기폭제가 되기를 기대합니다. 우리 재단에서는 이 교재의 발간에 만족하지 않고 곧 중급, 고급의 한국어 학습 교재를 지속적으로 개발할 것을 약속드립니다. 이러한 약속을 지키는 데에는 이 교재를 사용하는 모든 분들의 관심과 배려가 필요합니다.

이 교재를 발간하게 되기까지는 많은 분들의 노고가 있었습니다. 우선 국고보조금의 지원과 함께 꾸준한 관심과 애정으로 인내심을 가지고 이 교재의 발간을 기다려 준 문화관광부와 국립국어원에 감사의 말씀을 드립니다. 또한 교재를 개발하기 위해서 처음부터 기획과 연구에 많은 정성을 쏟은 '한국어세계화추진위원회'의 관계자와 한국어 교육 현장에서 교재의 발간을 기다려 주신 한국어 교사, 한국어 학습자에게도 감사의 말씀을 드립니다. 그리고 이 교재를 알차게 펴내 주신 한림출판사에도 무한한 감사를 드리는 바입니다.

아무쪼록 이 교재가 한국어를 배우고 가르치는 모든 분들에게 작은 도움이라도 되기를 바라며, 한국어가 전 세계에 보급되는 밑거름이 되기를 간절히 기원합니다.

2007년 12월 20일
재단법인 한국어세계화재단 이사장 정순훈

Introduction

This book has been created strictly for you, the user.

Preface

This book is developed to increase the beginners' reading comprehension ability. Elementary-level learners need skills to read texts commonly encountered in their everyday lives and to obtain information necessary to perform basic social tasks. Therefore, this book aims to help the learners to maximize their Korean skills and get the information needed from Korean texts. However, it does not aim to improve the learners' productive language skills. The book offers a comprehensive tool for improving the learners' reading skills, but extra texts and education should be added to obtain a complete mastery of the language.

Purpose

1. Learners will be able to understand vocabulary and sentence structure concerning familiar and predictable subjects from everyday life.
2. Learners will be able to understand concrete ideas about themselves, their families, and their everyday lives in one or a series of sentences in an informal context.
3. Learners will be able to read and understand texts necessary in everyday life, such as signs, advertisements, cards/letters, and newspapers.
4. Learners will be able to perform various skills so that they can obtain any information they need as soon as possible.
5. Learners will be able to understand written Korean with an awareness of its characteristics distinct from spoken Korean.

Organization of the text

This book consists of 20 chapters, and each chapter is made up of the following structure: Goals – Introduction – Vocabulary – Reading Sentences – Task – New Words – Self-Assessment – Culture. Each chapter is intended to be completed in four hours (200 minutes).

The "Goals" section indicates the purpose of the chapter and also shows the basic vocabulary and grammar.

The "Introduction" section consists of pictures and simple questions in Korean that will spark the learners' interest to enhance the educational effect.

In the "Vocabulary" section, words and phrases are presented under topic-related category to increase learners' reading comprehension. Including the grammar items, the reading textbook contains 997 vocabularies in total. These are needed for a basic understanding of the texts; however, the learners don't need to memorize them all. Approximately 425 words should be memorized to fully master the texts.

In the "Reading Sentences" section, new grammar items that learners are to learn in the chapter is introduced in sentences. Learners can naturally understand the grammar from this section.

The "Task" section is composed of actual reading exercises using the grammar and vocabulary. This section attaches importance to the procedure that leads to learners' understanding of items in question. There are three tasks in every chapter. The tasks progress from basic to hard skills, from simple to complicated language structures, and from the pedagogic to the real-world task, so that the previous task will provide the basis to do the next one.

The "New Words" section is composed of the new words from the "Reading Sentences" and "Task" sections. New words in the "Vocabulary" section are only shown in the "Index" at the back of the book.

In the "Self-Assessment" section, learners evaluate their own abilities. Along with the evaluation from other learners or teachers, evaluating oneself is a very important part of learning a foreign language.

The "Culture" section helps the learners better understand Korea.

Scope and Sequence

Unit	Title	Function
1	Self-Introduction	· To read and understand personal information.
2	Action	· To understand writings describing daily activities.
3	Location	· To understand a description of the location of object / place.
4	Number	· To understand writings showing the usage of Korean numbers.
5	Daily Life	· To understand information relevant to daily life and schedule by learning time expressions.
6	Family	· To understand a description of a Korean family by learning family terms and honorific expressions.
7	Weekend	· To understand usual weekend activities by learning the expressions for weekend activities.
8	Shopping	· To find out the price and quality of goods by reading a short description and advertising leaflet.
9	Food	· To read and understand writings concerning Korean foods and their tastes.
10	Season	· To understand seasonal activities and the distinctiveness of Korea's four seasons by learning season-relevant expressions.

Vocabulary	Grammar	Korean Culture
· Nationality · Occupation	· -은/는 - 입니다 · -은/는 - 입니까?	· Korean greetings
· Action · Object	· -은/는 -ㅂ/습니다 · -은/는 -을/를 -ㅂ/습니다	· *Nanta*, Korea's modern musical performance
· Objects · Places · Position	· -이/가 -에 있다/없다 · -와/과	· Korean manners for paying a visit
· Pure Korean numbers · Sino-Korean numbers	· 단위명사(*Counter*) · -도	· Korean calligraphy, *Seoye*
· Time · Daily activities · Place	· -에, -에 가다 · -에서 · -았/었/였습니다	· Korean "well-being" culture
· Family · Honorific expressions	· -(으)십니다, -(으)셨습니다 · -께서, -께서는 · 안 · -에게	· Korean family life
· Days · Weekend activities	· -(으)ㄹ 것이다 · -고 · -고 싶다	· *Insa-dong*, the crossroad of old and new
· Shopping · Food and daily necessities · Numbers	· 이/그/저 · -(으)러 가다/오다 · -(으)ㄴ	· Korean markets
· Korean foods · Tastes · Expressions related to a restaurant	· -중에서 · -는	· Korean foods
· Season-relevant expressions · Colors	· -지만 · -(으)면	· The four seasons of Korea

Scope and Sequence

Unit	Title	Function
11	Weather	· To understand weather forecasts by learning weather-relevant expressions.
12	Directions	· To understand a description of road signs and directions.
13	Thanks and Invitation	· To read invitations or thank-you cards by learning relevant expressions.
14	Travel	· To read and understand writings and advertisements about traveling.
15	School Life	· To understand writings describing school life.
16	Hobby	· To understand writings or advertisements relevant to one's hobbies.
17	Health	· To understand descriptive writings and advertisements concerning one's health.
18	Letter	· To read and understand letters by learning relevant expressions.
19	Appointments	· To read and understand appointments / promise-relevant writings.
20	Traffic	· To understand short passages about transportation and traffic.

Vocabulary	Grammar	Korean Culture
· Weather · Temperature	· −겠습니다 · −(으)ㄹ 수 있다/없다 · −지 않다	· The climate of Korea

· Road / direction-relevant
  expressions
	· −(으)로
	· −아/어/여서
	· −기
		· Seoul's subway
		  system

· Greetings · Cards · Letters · Invitation	· −기 바라다 · −아/어/여서 · −게	· Korean traditional wedding
· Traveling · Touring	· −기 전에 · −(으)려고 하다	· Famous tourist sites in Korea
· Class and subjects · School facilities	· −의 · −기 때문이다 · −(으)면서	· Korean educational system
· Hobbies · Exercise · Frequency adverbs	· −는 것 · −에 · −(으)ㄹ 때	· Korean movies
· Body · Health	· −을/를 위해서 · −아/어/여야 하다 · −았/었/였을 때	· Kimchi, a healthy, fermented food
· Letters	· 비격식체 · −(으)ㄹ · −아/어/여 주다	· Korean names

· Appointment / promise-
  relevant expressions
· How to send messages
	· −기로 하다
	· −보다
	· −았/었/였으면 하다
		· Korean traditional
		  paintings

· Transportation · Traffic	· −(이)나 · −(으)로 갈아타다 · −밖에 (안/못/없다/모르다)	· Railway service in Korea

Contents

발간사 · 5

Introduction · 8

Scope and Sequence · 10

Lesson 01 자기소개 (Self-Introduction) · · · · · · · · · · · · · · · 16

Lesson 02 동작 (Action) · 26

Lesson 03 위치 (Location) · 34

Lesson 04 수 (Number) · 42

Lesson 05 일상 생활 (Daily Life) · · · · · · · · · · · · · · · · · 52

Lesson 06 가족 (Family) · 62

Lesson 07 주말 (Weekend) · 72

Lesson 08 불건 사기 (Shopping) · · · · · · · · · · · · · · · · · 80

Lesson 09 음식 (Food) · 90

Lesson 10 계절 (Season) · 98

Lesson 11 날씨 (Weather) · 106

Lesson 12 길 찾기 (Getting Directions) · 114

Lesson 13 감사와 초대 (Thanks and Invitation) · · · · · · · · · · · · · · · · · · 124

Lesson 14 여행 (Travel) · 134

Lesson 15 학교 생활 (School Life) · 144

Lesson 16 취미 (Hobby) · 154

Lesson 17 건강 (Health) · 164

Lesson 18 편지 (Letter) · 174

Lesson 19 약속 (Appointments) · 182

Lesson 20 교통 (Traffic) · 192

Answer · 200
Index · 206

Self-Introduction

자기소개

••• GOALS

To read and understand personal information.

- VOCABULARY : Nationality, Occupation
- GRAMMAR : -은/는 -입니다, -은/는 -입니까?
- KOREAN CULTURE : Korean greetings

대한민국 REPUBLIC OF KOREA

여권 PASSPORT

종류/ Type	발행국/ Issuing country	여권번호/ Passport No
PO	KOR	S 0331022

성/ Surname
KIM
이름/ Given names
YU RA
국적/ Nationality
REPUBLIC OF KOREA

생년월일/ Date of birth
15 MAR 78

주민등록번호/ Personal No.
2030345

성별/ Sex
F

발급일/ Date of issue
22 JUN 00

발행관청/ Authority
MINISTRY OF FOREIGN AFFAIRS AND TRADE

기간만료일/ Date of expiry
22 JUN 05

한글성명
김 유 라

>>> 들어가기 Introduction

1. 어느 나라 사람입니까?
2. 이름이 무엇입니까?

>>> **어휘** Vocabulary

When introducing a person, it's necessary to know the person's name, nationality and occupation. Let's study nationality/occupation-relevant vocabulary.

1 국적 (Nationality)

한국 사람 Korean	미국 사람 American
일본 사람 Japanese	캐나다 사람 Canadian
중국 사람 Chinese	프랑스 사람 French
호주 사람 Australian	영국 사람 English
러시아 사람 Russian	이집트 사람 Egyptian

2 직업 (Occupation)

학생 student	회사원 office worker
선생님 teacher	의사 medical doctor
주부 housewife	공무원 civil servant
변호사 lawyer	가수 singer

>>> **문장 읽기** Reading Sentences

What sentence patterns can we use when introducing one's name or nationality? Let's study the following sentence patterns used to give and ask one's personal information:(1) -은/는 -입니다, (2) -은/는 -입니까?

1. -은/는 -입니다

1) 저는 수잔 베이커입니다. I'm Susan Baker.

2) 존 씨는 회사원입니다.

3) 수잔은 미국 사람입니다.

2. -은/는 -입니까?

1) 가 : 잭슨 씨는 미국 사람입니까? Is Mr. Jackson American?

　　나 : 네, 미국 사람입니다. 　　　　Yes, he is American.

2) 가 : 요코 씨는 학생입니까?

　　나 : 아니요, 회사원입니다.

3) 가 : 존 씨는 변호사입니까?

　　나 : 네, 변호사입니다.

✎ 연습 (Practice)

Choose the correct answer.

1) 다나카 씨는 일본 사람입니까?

　　① 네, 회사원입니다.

　　② 네, 일본 사람입니다.

　　③ 네, 다나카입니다.

2) 존 씨는 회사원입니까?

　　① 아니요, 의사입니다.

　　② 아니요, 미국 사람입니다.

　　③ 아니요, 회사원입니다.

3) 크리스 씨입니까?

　① 아니요, 저는 학생입니다.

　② 아니요, 저는 마이클입니다.

　③ 아니요, 저는 캐나다 사람입니다.

>>> **과제** Task

1 과제 1 (Task 1)

1. How many of these celebrities do you know (of)? What are their names? Why do you think they're famous? Discuss it.

박지성 한국 축구 선수	줄리아 로버츠 미국 영화배우	마이클 잭슨 미국 가수	알베르트 슈바이처 독일 의사

2. Read the following sentences and tick the correct answer.

1) 이 사람은 의사입니까?

　□ 네　　　□ 아니요

2) 이 사람은 중국 사람입니까?
　　□ 네　　　　□ 아니요

3) 이 사람은 줄리아 로버츠입니까?
　　□ 네　　　　□ 아니요

4) 이 사람은 변호사입니까?
　　□ 네　　　　□ 아니요

3. Look at the pictures of well-known persons. Then work with a partner to ask and get their personal information concerning name, nationality and occupation.

2 과제 2 (Task 2)

1. Normally people exchange business cards when meeting someone for the first time in a formal situation. Let's discuss what information you can get from a business card.

2. Look at the following business card and write down his personal information in 1) and 2) below.

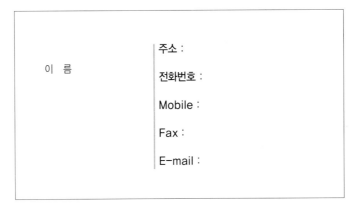

한국무역회사

이 민 수

주소 : 서울시 종로구 수송동 56-2
전화번호 : (02) 364-2688
Mobile : 011-275-9984
Fax : (02) 364-2934
E-mail : kms@hankook.com

1) 이름 (name)　　　　→　_____

2) 직업 (occupation)　→　_____

3. Fill in the business card below with your personal information. Write in Korean.

이　름

주소 :

전화번호 :

Mobile :

Fax :

E-mail :

3 과제 3 (Task 3)

1. Look at the picture below and guess where they are and what they're doing.

2. The following passage gives the speaker's personal information. Tick her name, nationality and occupation.

안녕하십니까?
저는 수잔 베이커입니다.
미국 사람입니다.
대학생입니다.

1) 이름(name)   □ 수잔 데커   □ 수잔 베이커

2) 국적(nationality)   □ 미국 사람   □ 프랑스 사람

3) 직업(occupation)   □ 선생님   □ 학생

3. Introduce yourself as shown above. Write in Korean.

안녕하십니까?

저는

새 단어 New Words

–은/는 *topic particle*

–입니다 to be (*deferential style for declarative ending*)

수잔 베이커 Susan Baker　　　　　존 John

씨 Mr./Ms.　　　　　　　　　　　잭슨 Jackson

–입니까? to be (*deferential style for interrogative ending*)

네 yes　　　　　　　　　　　　　요코 Yoko

아니요 no　　　　　　　　　　　　마이클 Michael

크리스 Chris　　　　　　　　　　박지성 Park, Jiseong

한국 Korea　　　　　　　　　　　축구 선수 soccer player

줄리아 로버츠 Julia Roberts　　　미국 the United States (of America)

영화배우 actor/actress　　　　　　마이클 잭슨 Michael Jackson

알베르트 슈바이처 Albert Schweitzer　독일 Germany

이 this　　　　　　　　　　　　　사람 person

무역 회사 trading company　　　　주소 address

전화번호 telephone number　　　　안녕하십니까? Hello.

대학생 college student　　　　　　이름 name

국적 nationality　　　　　　　　　직업 occupation

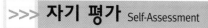

Do you have a full understanding of what you have studied in this chapter? Assess your Korean on the scale of 1 to 3, with 3 being the best score. (Study more if necessary).

Assessment Item	Self-Assessment		
1. Can you understand nationality/occupation-relevant vocabulary?	1	2	3
2. Can you ask one's name/nationality/ occupation and answer it as well?	1	2	3
3. Can you understand a person-introducing statement?	1	2	3
4. Can you understand necessary information in a business card?	1	2	3

>>> 한국의 문화 (Korean Culture) : Korean Greetings

As courtesy is part of Korean culture, keeping the social norms is the most important thing to consider in Korean greetings. Korean greetings vary according to the age and the position of a person addressed. People do a deep bow, slight bow or handshake when they greet someone unless the other party is a junior. A deep bow(*keunjeol*) is performed when the greeted person is unilaterally respected. It is made at wedding or at ancestral worship ceremonies. A slight bow is the commonest greeting. In this type of greeting, the relationship between the two parties who share the greeting is important, and you need to understand the other party's social status in advance. A handshake is generally done like a slight bow. It is usually performed by adults and is the usual practice for social life and business activities.

deep bow

handshake

slight bow

GOALS

To understand writings describing daily activities.

- VOCABULARY : Action, Object
- GRAMMAR : -은/는 -ㅂ/습니다, -은/는 -을/를 -ㅂ/습니다
- Korean Culture : *NANTA*, Korea's modem musical performance

>>> 들어가기 Introduction

1. 이 사람들은 무엇을 합니까?
2. 여러분은 지금 무엇을 합니까?

What activities do you do each day? Let's study basic verbs expressing one's actions and the names of relevant objects.

1 동작 (Action)

가다 to go	오다 to come
보다 to see/watch	자다 to sleep
듣다 to listen	읽다 to read
쓰다 to write	만나다 to meet
먹다 to eat	마시다 to drink
공부하다 to study	운동하다 to exercise / work out
전화하다 to telephone	말하다 to speak

2 사물 (Object)

책 book	신문 newspaper
편지 letter	밥 boiled rice
물 water	빵 bread
영화 movie	텔레비전 television

Let's study typical sentence patterns of conveying ideas in Korean: (1) the pattern −은/는 −ㅂ/습니다 is used when the speaker chooses a person/object/idea as the topic and describes the selected item using an intransitive verb; (2) the pattern −은/는 −을/를 −ㅂ/습니다 functions the same as (1), except that a transitive verb takes an object.

1. –은/는 –ㅂ/습니다

1) 수미 씨는 운동합니다. Sumi is exercising.

2) 요코 씨는 잡니다.

3) 선생님은 전화합니다.

2. –은/는 –을/를 –ㅂ/습니다

1) 저는 책을 읽습니다. I'm reading a book.

2) 제임스 씨는 영화를 봅니다.

3) 마이클 씨는 빵을 먹습니다.

🖊 연습 (Practice)

Choose a description on the right that coheres with a picture on the left.

1)
① 수잔 씨는 잡니다.
② 수잔 씨는 운동합니다.
③ 수잔 씨는 전화합니다.

2)
① 요코 씨는 편지를 씁니다.
② 요코 씨는 책을 읽습니다.
③ 요코 씨는 편지를 봅니다.

3)
① 마이클 씨는 빵을 먹습니다.
② 마이클 씨는 물을 봅니다.
③ 마이클 씨는 물을 마십니다.

>>> **과제** Task

1 과제 1 (Task 1)

1. What are your friends doing now? Talk about what they are doing.

2. The following describes what four persons are doing. Look at the pictures below and match a description to its corresponding picture.

제임스 씨는 책을 읽습니다.
수진 씨는 편지를 씁니다.
마이클 씨는 음악을 듣습니다.
그리고 다나카 씨는 운동합니다.

1) 마이클 씨

2)

3)

4)

3. Look at the following picture. Ask what each person is doing and answer the question as shown in the example. Work in pairs.

가 : 제임스 씨는 무엇을 합니까?
나 : 신문을 봅니다.

2 과제 2 (Task 2)

1. What activities do you do each day? Check activities you do everyday.

□ 운동합니다.   □ 책을 읽습니다.

□ 전화합니다.   □ 밥을 먹습니다.

□ 텔레비전을 봅니다.   □ 편지를 씁니다.

□ 음악을 듣습니다.   □ 한국어를 공부합니다.

2. The following shows Mr. Yamamoto's schedule for today. Read and choose pictures that cohere with the description.

   오늘 나는 한국어를 공부합니다. 그리고 한국 친구를 만납니다.
   같이 밥을 먹습니다. 그리고 영화를 봅니다.

1)

2)

3)

4)

3. What will you do today? Tell your friends five things you will do today.

3 과제 3 (Task 3)

1. Have you ever had a pen-pal? If yes, what was he/she like? If no, what would you like him/her to be like?

2. The following is a letter from your pen-pal. Read the letter and circle the pictures related to him.

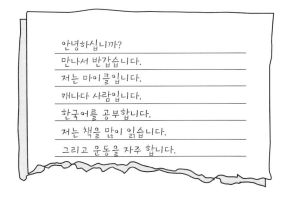

안녕하십니까?
만나서 반갑습니다.
저는 마이클입니다.
캐나다 사람입니다.
한국어를 공부합니다.
저는 책을 많이 읽습니다.
그리고 운동을 자주 합니다.

1)

2)

3)

4)

3. Write a letter to your pen-pal, and read it to your friends.

>>> **자기 평가** Self-Assessment

Do you have a full understanding of what you have studied in this chapter? Assess your Korean on the scale of 1 to 3, with 3 being the best score. (Study more if necessary).

Assessment Item	Self-Assessment		
1. Can you understand activity-relevant vocabulary?	1	2	3
2. Can you understand basic activities?	1	2	3
3. Can you read and understand a letter from your pen-pal?	1	2	3

>>> 한국의 문화 (Korean Culture) : *NANTA*, Korea's modern musical performance

NANTA means reckless punching as in a slugfest at a boxing match. *NANTA* is a non-verbal musical performance using everyday cooking utensils as percussion instruments in a comedic stage show. Integrating unique Korean traditional tempos with a Western performance style, *NANTA* is set in a huge onstage kitchen where four capricious cooks are preparing food for a wedding banquet. While cooking, they use all kinds of kitchen items—pots, pans, dishes, knives, chopping boards, water bottles, brooms and even a combination of two or more—as percussion instruments. Rhythm rules and audiences are swept along in the primitive sound explosion and actions on stage. Because the performance is built primarily on captivating rhythms and has very few spoken words, audiences of all ages and nationalities can easily enjoy the plot and music.

•••GOALS

To understand a description of the location of object/place.

- VOCABULARY : Objects, Places, Locations
- GRAMMAR : −이/가 −에 있다/없다, −와/과
- Korean Culture : Korean manners for paying a visit

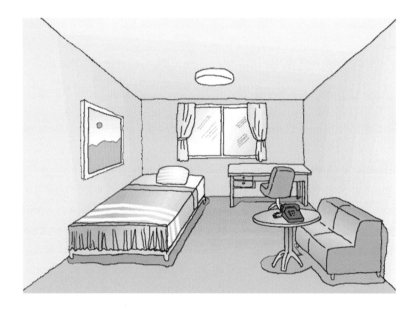

>>> 들어가기 Introduction

1. 방에 무엇이 있습니까? 전화기가 어디에 있습니까?
2. 여러분 방에는 무엇이 있습니까?

>>> **어휘** Vocabulary

Let's study object/place/positon–relevant vocabulary.

1 사물 (Objects)

텔레비전 television	시계 clock
전화기 telephone	옷 clothes
가방 bag	컴퓨터 computer
책상 desk	의자 chair
침대 bed	소파 sofa
탁자 table	옷장 wardrobe

2 장소 (Places)

집 house	학교 school
병원 hospital	식당 restaurant
우체국 post office	은행 bank
대사관 embassy	기숙사 dormitory

3 위치 (Position)

위 on	아래/밑 under
옆 beside	앞 in front of
뒤 behind	안 inside
밖 outside	

Let's study the grammatical items: (1) −이/가 −에 있다/없다 is used when we refer to the location of an object; (2) the connective particle −와/과 is used to link two words in coordination.

1. −이/가 −에 있다/없다

1) 제임스 씨가 학교에 있습니다. Mr. James is at school.
2) 컴퓨터가 책상 위에 있습니다.
3) 은행 옆에 우체국이 있습니다.

2. −와/과

1) 방에 침대와 탁자가 있습니다. There is a bed and a table in the room.
2) 병원 앞에 식당과 은행이 있습니다.
3) 제임스 씨와 수잔 씨가 학교에 있습니다.

📝 연습 (Practice)

Read the following sentences describing the picture. Put ○ in a parenthesis if a sentence coheres with a picture, and put × if it doesn't.

1) 방에 침대와 책상이 있습니다.　　　(　　　　)

2) 책상 밑에 책이 있습니다.　　　　　(　　　　)

3) 전화기 옆에 가방이 있습니다.　　　(　　　　)

4) 탁자가 소파 뒤에 있습니다.　　　　(　　　　)

5) 탁자 위에 시계와 전화기가 있습니다.　(　　　　)

>>> **과제** Task

1 과제 1 (Task 1)

1. What things are in your room? Check the ones that are in your room.

　□ 텔레비전　　□ 컴퓨터　　□ 시계　　□ 책상

　□ 의자　　　　□ 소파　　　□ 탁자　　□ 옷장

2. The following text describes Susan's room. Read and find out where three objects (clock, book, clothes) are located. Then put an Arabic number (marked in her room) of the place where each object is located.

　방에 침대가 있습니다.
　침대 위에 옷이 있습니다.
　그리고 침대 옆에 책상이 있습니다.
　책상 위에 컴퓨터와 시계가 있습니다.
　침대 앞에 탁자가 있습니다.
　탁자 밑에 책이 있습니다.

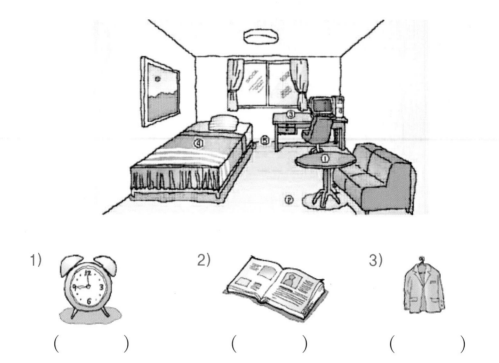

1)   2)   3)

(   )   (   )   (   )

3. Draw a picture to show what things are in your room. Then talk with your friend about where the things are. Refer to the example below.

가 : 방에 침대가 있습니까?
나 : 네, 있습니다.
가 : 어디에 있습니까?
나 : 책상 옆에 있습니다.

2 과제 2 (Task 2)

1. Where do you usually go after class? Where do you think your classmates go after class? Ask them.

2. The following passage describes what Susan's classmates do after class. Pick a line in the passage and see if Susan's classmate's activities harmonize with a picture below. Provide his/her name in the blanks accordingly.

수진 씨가 학교에 있습니다. 한국어를 공부합니다.
제임스 씨가 식당에 있습니다. 식사를 합니다.
마이클 씨가 우체국에 있습니다. 편지를 보냅니다.

1)

마이클 씨

2)

_____

3)

_____

3. Where are your friends or family now? What are they doing? Refer to the example above.

3 과제 3 (Task 3)

1. Have you ever seen signs that show the location of a telephone booth or a vending machine? Where can you often find them?

2. The following are signs that we can often see in buildings. An Arabic number in the picture indicates a location of an object. Match a sentence to an Arabic number so that these two cohere.

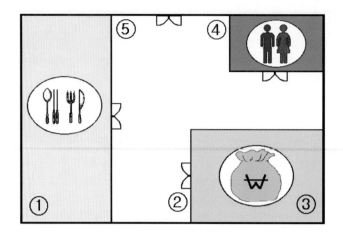

1) 공중전화기가 화장실 옆에 있습니다. ( )
2) 컴퓨터가 은행 앞에 있습니다. ( )
3) 커피 자동판매기가 식당 안에 있습니다. ( )

3. Describe object locations using the pattern −이/가 −에 있다/없다 so that you can help new comers.

_____

_____

_____

새 단어 New Words

위치 position, location	−이/가 *subject particle*
−에 at, in	있다 to exist
없다 not to exist	−와/과 and
방 room	어디 where
식사를 하다 to have a meal	보내다 to send
공중전화기 public telephone	화장실 rest room
커피 coffee	자동판매기 vending machine

>>> **자기 평가** Self-Assessment

Do you have a full understanding of what you have studied in this chapter? Assess your Korean on the scale of 1 to 3, with 3 being the best score. (Study more if necessary).

Assessment Item	Self-Assessment		
1. Do you understand object/place/position-relevant vocabulary?	1	2	3
2. Do you understand the location-relevant pattern −이/가 −에 있다/없다?	1	2	3
3. Can you understand object/person-relevant locations?	1	2	3
4. Can you understand a short passage relevant to object locations?	1	2	3

>>> 한국의 문화 (Korean Culture)： Korean manners for paying a visit

Traditionally, Koreans sit, eat and sleep on the floor. Accordingly, they remove their shoes when entering a Korean home. Bare feet can be offensive to elderly people, so it would be best to wear socks or stockings when visiting someone's home. Though foreigners will not generally be expected to do so, please be aware that it is Korean custom to bring a gift along with you when visiting someone's home.

>>> **들어가기** Introduction

1. 사람이 몇 명 있습니까?
2. 여러분 교실에 학생이 몇 명 있습니까?

>>> **어휘** Vocabulary

What vocabulary is used when you count numbers in Korean? Let's study the following vocabulary.

1 고유어 수 (Pure Korean numbers)

하나 one	둘 two
셋 three	넷 four
다섯 five	여섯 six
일곱 seven	여덟 eight
아홉 nine	열 ten

2 한자어 수 (Sino-Korean numbers)

일 one	이 two
삼 three	사 four
오 five	육 six
칠 seven	팔 eight
구 nine	십 ten
십일 eleven	십이 twelve
십삼 thirteen	십사 fourteen
이십 twenty	삼십 thirty
사십 forty	오십 fifty
육십 sixty	칠십 seventy
팔십 eighty	구십 ninety
백 one hundred	천 one thousand

Where do numbers go in a sentence? And how do you read numbers in a sentence? Let's study the following sentences.

1. 수 세기

1) 학생이 두 명 있습니다. There are two students.

2) 탁자 위에 사과가 한 개 있습니다.

3) 영수가 책을 다섯 권 삽니다.

⬤ 언어 노트(Language Tip) : Korean Number 한, 두, 세, 네, 스무

When 하나, 둘, 셋, 넷, and 스물 are used with a counter, they change into 한, 두, 세, 네, and 스무. For example, to count the number of people, we use 한 명, 두 명, 세 명, 네 명, and 스무 명.

2. 수 읽기

1) 오늘은 오월 구일입니다. Today is the 9th of May.

2) 교실이 삼층에 있습니다.

3) 저는 일급 학생입니다.

⬤ 언어 노트(Language Tip) : Korean Number

Korean uses two sets of numbers: pure Korean numbers and Sino-Korean numbers. What is the difference? Usually we use pure Korean numbers when counting the number of people or objects. For instance, when we say how many people or how many desks there are in the classroom, we say "여기에 사람이 세 명 있습니다" or "교실에 책상이 열 개 있습니다." But we express fixed numbers with Sino-Korean numbers such as "이 옷은 오만 원입니다," and "교실이 삼층에 있습니다."

3. -도

1) 책상 위에 책이 있습니다. 연필도 있습니다.

> There is a book on the desk. There is a pencil, too.

2) 중국 사람이 세 명 있습니다. 러시아 사람도 한 명 있습니다.

3) 영수는 사과를 좋아합니다. 포도도 좋아합니다.

✏️ 연습 (Practice)

1. Match a counter on the left to an appropriate picture on the right.

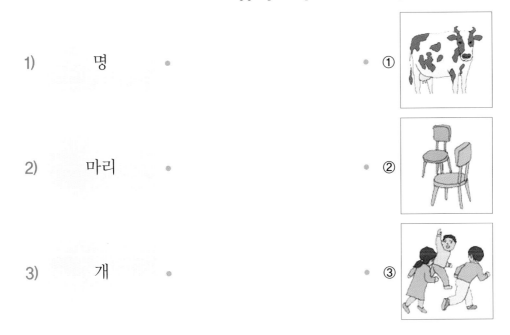

1)　　명　　•

2)　　마리　　•

3)　　개　　•

①

②

③

2. Select the correct sentence.

1) 오늘은 9월 15일입니다.

　① 오늘은 구월 십오일입니다.

　② 오늘은 구월 열다섯일입니다.

　③ 오늘은 아홉월 열다섯일입니다.

2) 우리 교실은 203호입니다.

　① 우리 교실은 이십삼 호입니다.

　② 우리 교실은 이백삼 호입니다.

　③ 우리 교실은 이천삼 호입니다.

3. Select a picture that corresponds to a given description.

1) 책상 위에 책이 두 권 있습니다. 공책도 두 권 있습니다.

①  ②  ③

2) 친구가 사과를 다섯 개 삽니다. 배도 두 개 삽니다.

① 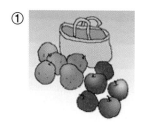 ② 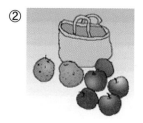 ③

1 과제 1 (Task 1)

1. How many different nationalities can you find in your class? And how many members does each nationality have?

2. The following text describes Mr. Johnson's Korean classroom. Read it carefully and answer the questions.

존슨 씨는 미국 사람입니다. 뉴욕대학교 2학년 학생입니다. 지금 <u>서울에서</u> 한국말을 공부합니다. 존슨 씨 교실에 미국 사람이 네 명, 일본 사람이 세 명, 중국 사람이 두 명 있습니다. 러시아 사람도 한 명 있습니다.

1) How many students are there in Mr. Johnson's classroom? Write the numbers.

- 일본 사람   (   )
- 중국 사람   (   )
- 러시아 사람   (   )
- 미국 사람   (   )

2) What does 서울에서 mean?

2 과제 2 (Task 2)

1. Look at the picture below and discuss what things are in the room with your partner.

2. The following passage describes Mr. Johnson's room you can see in the picture below. Select an item which does not match the description of the passage.

> 존슨 씨 방에는 책상과 소파와 탁자가 있습니다. 책상 위에 책이 두 권 있습니다. 그리고 컴퓨터가 한 대 있습니다. 소파는 책상 옆에 있습니다. 소파 앞에 탁자가 있습니다. 탁자 위에 사과가 세 개 있습니다.

3. What and how many things are there in your room? After writing your answer, tell your friend.

 책상 – 한 개   의자 – 한 개

3 과제 3 (Task 3)

1. You have many chances to read numbers around you. The following is an example of telephone numbers you can easily find on the street. Read the numbers aloud.

2. The following is Susan Baker's identification card. Read it carefully and answer the questions.

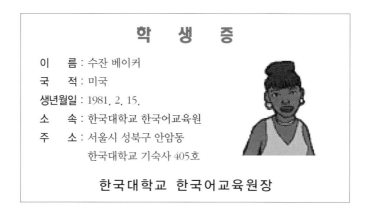

1) 수잔 씨의 생일은 언제입니까?

2) 수잔 씨는 어디에 살고 있습니까?

3. Ask your classmates for their telephone number and address.

>>> ## 자기 평가 Self-Assessment

Do you have a full understanding of what you have studied in this chapter? Assess your Korean on the scale of 1 to 3, with 3 being the best score. (Study more if necessary).

Assessment Item	Self-Assessment		
1. Did you learn the vocabulary for counting numbers?	1	2	3
2. Can you understand the difference between 하나, 둘, 셋, 넷 and 일, 이, 삼, 사?	1	2	3
3. Did you learn counters?	1	2	3
4. Can you read and understand the sentences describing the numbers of people or objects?	1	2	3

>>> 한국의 문화 (Korean Culture) : Korean calligraphy, *Seoye*

Calligraphy, or *Seoye* in Korea, flourished during the Yi Dynasty(1392-1910) when Confucianism became the philosophy of the state and calligraphy was regarded as a necessary process of mental discipline for a cultured gentleman. A gentleman of accomplishment was expected to excel in poetry, calligraphy and painting, which were considered ideal means for the Confucian-educated man to express his pure and noble mind. To combine all three, he needed only an ink stick, a stone for grinding ink, animal-hair brushes and paper, collectively known as the "four friends" or "four stationery treasures" as they were known, because they were considered a measure of his own aesthetic taste.

Each Chinese character is composed of a number of different shaped lines within an imaginary square. Each character is intended to convey a specific meaning. Thus, technically, calligraphy depends on the skill of the writer to create brush strokes of an interesting shape and to combine them to create beautiful structures. The writers must do this without any retouching or shading and with well-balanced spaces between brush strokes. A finished work is hung on the wall to be admired in the same way a painting is admired.

일상 생활

To understand information relevant to daily life and schedule by learning time expressions.

● VOCABULARY : Time, Daily activities, Place
● GRAMMAR : −에, −에 가다, −에서, −았/었/였습니다
● Korean Culture : Korean "well-being" culture

>>> **들어가기** Introduction

1. 이 사람은 몇 시에 일어납니까?

2. 여러분은 몇 시에 일어납니까? 그리고 오후에 무엇을 합니까?

What vocabulary is needed to describe daily life? Let's learn the expressions for time, basic activities and places relevant to everyday activities.

1 시간 1 (Time 1)

(1)시 (1) o'clock　　　(1)분 (1) minute　　　반 half

2 시간 2 (Time 2)

어제 yesterday　　　　　오늘 today
내일 tomorrow　　　　　아침 morning
점심 lunch time　　　　저녁 evening
오전 a.m.　　　　　　　오후 afternoon

3 일상생활 (Daily activities)

일어나다 to get up　　　　자다 to sleep
일하다 to work　　　　　쉬다 to rest
출근하다 to go to work　　퇴근하다 to leave the office

4 장소 (Place)

회사 company　　　　　　극장 theater
백화점 department store　　가게 store
커피숍 coffee shop　　　　스포츠센터 sports center

How do you express the activities that involve time and place? And how do you express what you did in the past? Let's study the following grammatical items.

1. −에

1) 저는 일곱 시에 일어납니다. I get up at 7 o'clock.
2) 오후에 운동합니다.
3) 저녁에 친구를 만납니다.

○ 언어 노트(Language Tip) : −에
  −에 is attached to a noun to express time, but not attached to such expressions as 어제, 오늘, 내일 and 지금.   예) 오늘 친구를 만납니다.

2. −에서

1) 저는 한국에서 한국말을 공부합니다. I'm studying Korean in Korea.
2) 오늘 커피숍에서 친구를 만납니다.
3) 저녁에 스포츠센터에서 운동합니다.

3. −에 가다/오다

1) 저는 여덟 시 사십 분에 학교에 갑니다. I go to school at 8:40.
2) 친구가 오늘 한국에 옵니다.
3) 수잔 씨와 제임스 씨가 극장에 갑니다.

4. −았/었/였습니다

1) 저는 어제 친구를 만났습니다. I met a friend yesterday.
2) 아침에 빵을 먹었습니다.
3) 가 : 어제 오후에 무엇을 했습니까?
   나 : 회사에서 일했습니다.

연습 (Practice)

1. Choose a wrong sentence in each problem set.

1) ① 학생들이 교실에 공부합니다.

② 책상 위에 컴퓨터가 있습니다.

③ 존슨 씨가 우체국에 갑니다.

2) ① 수잔 씨가 아침에 운동을 합니다.

② 저는 오늘에 영화를 봅니다.

③ 존슨 씨가 6시 20분에 친구를 만납니다.

3) ① 학생들이 도서관에서 책을 읽습니다.

② 수잔 씨가 스포츠센터에서 운동합니다.

③ 제임스 씨가 백화점에서 공부합니다.

2. Put ○ if right, × if wrong.

1) 저는 어제 영화를 봅니다. (   )

2) 친구가 어제 미국에 갔습니다. (   )

3) 저는 오늘 아침에 빵과 사과를 먹었습니다. (   )

>>> **과제** Task

1 과제 1 (Task 1)

1. How do you spend a usual day?

2. The following is what I do in a day. Read it carefully and answer the following questions.

저는 일곱 시에 일어납니다. 빵과 우유를 먹습니다. 저는 오전에 학교에서 한국말을 공부합니다. 그리고 오후에 체육관에서 운동합니다. 저는 오후 여섯 시에 집에 옵니다. 저녁에 집에서 숙제를 합니다. 그리고 텔레비전을 봅니다. 저는 열한 시에 잡니다.

1) Fill in the blanks with an appropriate word.

오전	①	한국말 공부
오후	체육관	②

2) What does this person do in the evening?

① 일어납니다. 빵을 먹습니다.

② 한국말을 공부합니다. 운동합니다.

③ 숙제를 합니다. 텔레비전을 봅니다.

3. Write about your daily life and give a presentation to your class.

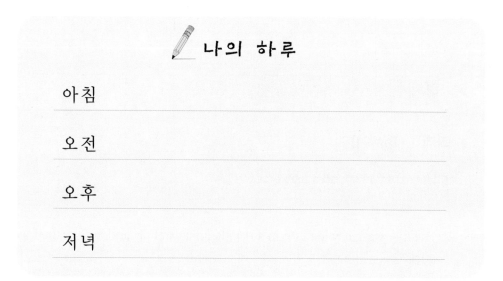

나의 하루

아침 _____

오전 _____

오후 _____

저녁 _____

2 과제 2 (Task 2)

1. What did you do last week? Select among the items below.

    □ 체육관에서 운동했습니다.

    □ 극장에서 영화를 봤습니다.

    □ 식당에서 음식을 먹었습니다.

    □ 커피숍에서 친구를 만났습니다.

    □ 도서관에서 공부했습니다.

2. The following is a story about James. Read it carefully and answer the questions.

제임스 씨는 지금 아주 피곤합니다. 오전에 열 시부터 열두 시까지 회의를 했습니다. 오후에 공항에 갔습니다. 외국에서 손님이 왔습니다. 제임스 씨는 저녁에 사무실에서 일했습니다. 열 시에 집에 왔습니다. 지금 집에서 쉽니다.

1) 제임스 씨는 지금 무엇을 합니까?

    ① 회사에서 회의합니다.

    ② 사무실에서 일합니다.

    ③ 집에서 쉽니다.

2) 제임스 씨는 공항에서 무엇을 했습니까?

    ① 회의했습니다.

    ② 손님을 만났습니다.

    ③ 일했습니다.

3. You have studied how to express past tense. Tell your friend about the most interesting thing you did in the past week.

3 과제 3 (Task 3)

1. Do you keep a daily schedule? What do you write in your schedule? If you are working for a company, what could be written in the schedule?

2. The following is Yoko's schedule. Read it carefully and answer the questions.

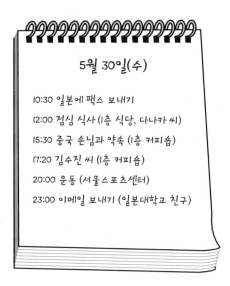

5월 30일(수)

10:30 일본에 팩스 보내기
12:00 점심 식사 (1층 식당, 다나카 씨)
15:30 중국 손님과 약속 (1층 커피숍)
17:20 김수진 씨 (1층 커피숍)
20:00 운동 (서울 스포츠센터)
23:00 이메일 보내기 (일본대학교 친구)

1) 요코 씨는 언제 일본에 팩스를 보냅니까?

2) Choose a wrong sentence.

    ① 요코 씨와 다나카 씨는 1층 식당에서 점심을 먹습니다.

    ② 요코 씨는 오후에 중국 손님을 만납니다.

    ③ 요코 씨는 저녁에 일본대학교 친구를 만납니다.

3. What will you do tomorrow? Take notes using the above table, and tell your friends.

새 단어 New Words

일상 생활 daily life	−에 at
−았/었/였습니다 *past tense final ending*	−들 *plural suffix*
도서관 library	우유 milk
체육관 gym	숙제 homework
−의 *possessive particle*	하루 one day
생활 life	음식 food
아주 very	피곤하다 to be tired
−부터 from	−까지 to, until
회의 meeting	공항 airport
외국 foreign country	손님 guest
일본 Japan	팩스 fax
점심시간 lunch time	약속 promise, appointment
이메일 e-mail	대학교 college, university

Do you have a full understanding of what you have studied in this chapter? Assess your Korean on the scale of 1 to 3, with 3 being the best score. (Study more if necessary).

Assessment Item	Self-Assessment		
1. Can you recognize and understand the expressions for time?	1	2	3
2. Did you learn the vocabulary related to daily life?	1	2	3
3. Can you understand the expressions for past tense?	1	2	3
4. Can you read and understand writing and schedules describing daily life?	1	2	3

>>> 한국의 문화 (Korean Culture) : Korean "well-being" culture

Nowadays "well-being" has become a keyword to understand a popular trend in Korean society.

Since the late 1990s, Koreans have focused on quality of life and improving social welfare. The "well-being" in the late 1990s is the latest fad of Korean society. Many people are adopting a new way of life. For example, people who follow the "well-being" trend consume organic food in the interests of health. Instead of high caloric food, like fast-food, they insist on eating organic food that has been cultivated without any chemicals. Moreover, some people create their own small garden to raise the organic vegetables for themselves.

In addition, the "well-being" movement is a whole lifestyle. Well-being means people spend time doing yoga. As yoga is known as a good sport, not only for mental health but also for a slim figure, a lot of yoga centers have appeared all around Korea.

Family

가족

●●●**GOALS**

To understand a description of a Korean family by learning family terms and honorific expressions.

● **VOCABULARY** : Family, Honorific expressions
● **GRAMMAR** : −(으)십니다, −(으)셨습니다, −께서, −께서는, 안, −에게
● **Korean Culture** : Korean family life

>>> **들어가기** Introduction

1. 이 사진은 무엇입니까?

2. 여러분의 가족은 몇 명입니까? 누가 있습니까? 그리고 여러분의 가족은 무슨 일을 합니까?

어휘 Vocabulary

Let's study family-relevant expressions.

1 가족 (Family)

아버지 father	어머니 mother
부모님 parents	형 older brother
오빠 older brother	언니 older sister
누나 older sister	동생 younger brother or sister
할아버지 grandfather	할머니 grandmother
외할아버지 maternal grandfather	외할머니 maternal grandmother

2 경어 표현 (Honorific expressions)

계시다 to be	주무시다 to sleep
돌아가시다 to pass away	연세 age
드시다 to eat	생신 birthday
말씀하시다 to tell	댁 home
편찮으시다 to be ill	

Let's study the honorific, negative and "to (someone)" expressions.

1. –(으)십니다, –(으)셨습니다

1) 아버지는 회사에 다니십니다. My father works for a company.
2) 어머니는 책을 읽으십니다.
3) 할아버지는 전에 은행에서 일하셨습니다.

2. –께서, –께서는

1) 할머니께서 조금 편찮으십니다. My grandmother is a little ill.
2) 아버지께서는 회사에 가셨습니다.
3) 선생님께서는 교실에 계십니다.

3. 안

1) 아버지께서는 집에 안 계십니다. My father is not at home.
2) 어머니께서는 운동을 안 하십니다.
3) 우리 할머니께서는 커피를 안 드십니다.

4. –에게

1) 할머니께서 저에게 전화를 하셨습니다.

My grandmother telephoned me.

2) 어머니께서 동생에게 선물을 주셨습니다.
3) 나는 친구에게 편지를 씁니다.

🖊 연습 (Practice)

1. Choose the sentences in which honorific forms are properly used.

1) 아버지는 회사에 다닙니다.   2) 할머니께서는 신문을 보십니다.

3) 동생께서는 전화를 하셨습니다.

4) 저는 책을 읽었습니다.   5) 어머니께서는 선생님이십니다.

6) 할아버지께서 우리집에 오셨습니다.

2. Read the following sentences and write 안 if needed.

1) 할아버지께서는 _____ 주무십니다. 텔레비전을 보십니다.

2) 저는 운동을 좋아합니다. 그래서 자주 운동을 _____ 합니다.

3) 아버지께서는 회사에 가셨습니다. 집에 _____ 계십니다.

3. Fill in the blanks with a particle from the box.

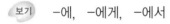

보기   -에, -에게, -에서

1) 나는 동생_____ 전화를 했습니다.

2) 아버지께서는 회사_____ 일하십니다.

3) 저는 친구_____ 꽃을 선물하고 싶습니다.

4) 할머니께서는 집_____ 계십니다.

4. The following is a passage describing the picture. Select two incorrect sentences.

1) 할아버지께서는 집에 안 계십니다.
2) 할아버지께서는 신문을 보십니다.
3) 할머니께서는 주무십니다.
4) 아버지께서는 책을 읽으십니다.
5) 어머니께서는 저에게 책을 주십니다.
6) 저는 친구에게 전화를 하십니다.

1 과제 1 (Task 1)

1. Tick three things you would like to mention in describing your family.

☐ number of family members

☐ relation of the family member to you (e.g., father, mother, ⋯)

☐ name of each family member

☐ personality of each family member

☐ occupation of each family member

☐ hobbies of each family member

2. The following is Mr. Youngsoo Lee's introduction of his family. Read carefully and answer the questions.

우리 가족입니다.
할아버지와 아버지, 어머니, 형, 누나, 저, 모두 여섯 명입니다.
할머니께서는 돌아가셨습니다.
할아버지께서는 전에 의사셨습니다. 지금은 일을 안 하십니다.
아버지께서는 회사에 다니십니다. 어머니는 선생님이십니다.
누나는 공무원입니다. 시청에 다닙니다. 저와 형은 대학에 다닙니다. 형은 사회학을 공부하고, 저는 한국학을 공부합니다.

1) How many members are there in Mr. Lee's family?

2) Match Mr. Lee's family members on the left to their occupation on the

right.

① 아버지 •   • ㉮ 선생님

② 어머니 •   • ㉯ 의사

③ 누나 •   • ㉰ 학생

④ 형 •   • ㉱ 회사원

                                          • ㉲ 공무원

3. Ask about your friend's family using the questions below.

- 가족이 몇 명입니까?
- 누가 있습니까?
- 아버지(어머니/형/누나…)가 무슨 일을 하십니까?

2 과제 2 (Task 2)

1. Have you ever made a friend through e-mail? If you want to write to the friend
   about your family, what would you say? Take notes in the table below.

Family member	Information about him / her
아버지	회사에 다니십니다, 운동을 좋아하십니다.

2. You have received an e-mail from a friend of yours introducing her family. Read carefully and answer the questions.

제목(subject) : 우리 가족을 소개합니다.
날짜(date) : 07-12-12 17:35
보낸이(from) : mkg@korea.ac.kr

오늘은 우리 가족을 소개하겠습니다.

우리 가족은 아버지와 어머니, 저, 세 명입니다. 언니, 오빠, 동생은 없습니다.

저는 서울에 삽니다. 그렇지만 부모님께서는 광주에 사십니다.

아버지께서는 회사에 다니십니다. 언제나 열심히 일하십니다. 어머니께서는 선생님이십니다. 고등학교에서 영어를 가르치십니다. 아주 친절하십니다.

우리 부모님께서는 운동을 좋아하십니다. ㉠그래서 자주 함께 운동을 하십니다.

1) List the family members of the author.

2) Choose a sentence that does not cohere with the e-mail above.

① 이 사람은 아버지, 어머니와 함께 삽니다.

② 아버지께서는 회사원이십니다.

③ 어머니께서는 고등학교 선생님이십니다.

3) What does the underlined ㉠그래서 mean?

3. Write an e-mail about your family, using the sentence patterns appearing in the above e-mail.

3 과제 3 (Task 3)

1. Do you have enough time to spend with your family? If yes, what do you usually do with your family?

2. The following is a passage describing a family's leisure. Read carefully and answer the questions.

우리 가족은 등산을 좋아합니다. 그래서 우리는 자주 산에 갑니다. 오늘 우리 가족은 북한산에 갑니다. 할아버지와 할머니께서도 함께 가십니다. 우리는 도시락을 가지고 산에 갑니다. 우리는 산에서 도시락을 맛있게 먹습니다. 그리고 여러 가지 이야기를 합니다.

1) Choose a sentence that does not cohere with the passage above.

   ① 우리 가족은 산에 자주 갑니다.
   ② 할아버지와 할머니께서는 산에 안 가십니다.
   ③ 우리는 도시락을 가지고 산에 갑니다.

2) 산에 가서 무엇을 합니까?

3. Write and tell the class what activities your family does to spend time together. Describe what activities your family does all together at leisure time, and tell the class.

–(으)십니다 *present-tense (honorific)*	–(으)셨습니다 *past-tense (honorific)*
다니다 to go	전 before
–께서 *honorific subject particle for* –이/가	–께서는 *honorific topic particle for* –은/는
조금 a little	안 not (*negative*)
–에게 to	꽃 flower
선물 gift	–고 싶다 to be willing to
주다 to give	시청 City Hall
사회학 sociology	한국학 Korean studies
누가 who	무슨 what
일 work	살다 to live
그렇지만 but	광주 Gwangju (city name)
언제나 always	열심히 eagerly
고등학교 high school	가르치다 to teach
친절하다 to be kind	그래서 so, therefore
함께 with, together	누구 who
등산 mountain climbing	산 mountain
북한산 Bukhansan (Mt.)	도시락 packed lunch
가지고 가다 to bring	맛있게 with relish
여러 가지 various	이야기를 하다 to talk

>>> **자기 평가** Self-Assessment

Do you have a full understanding of what you have studied in this chapter? Assess your Korean on the scale of 1 to 3, with 3 being the best score. (Study more if necessary).

Assessment Item	Self-Assessment		
1. Did you learn the basic vocabulary for family?	1	2	3
2. Can you understand a passage with honorific expressions?	1	2	3
3. Can you read and understand an article about family?	1	2	3

>>> 한국의 문화 (Korean Culture) : Korean family life

In ancient Korea, the typical family was large with three or four generations living together. Because infant mortality was high and a big family was thought of as a blessing, having many children was desired. However, the rapid industralization and urbanization of the country in the 1960s and 1970s were accompanied by an effective campaign to enhance birth control, so the average number of children in a family has dramatically decreased to two or less since the 1980s.

Due to the long Confucian tradition of the eldest son taking over as head of the family, a preference for sons was prevalent in Korea. To tackle the problem of male preference, the government has completely rewritten family-related laws in a way that ensures equality for sons and daughters in terms of inheritance.

These days, young married couples prefer to separate from their extended families and live in their own homes. Now, almost all families are couple-centered nuclear ones.

●●● **GOALS**

To understand usual weekend activities by learning the expressions for weekend activities.

- VOCABULARY : Days, Weekend activities
- GRAMMAR : −(으)ㄹ 것이다, −고, −고 싶다
- Korean Culture : Insadong, the crossroad of the old and the new

DECEMBER **12**

일	월	화	수	목	금	토
			1	2	3	4 부산 여행
5 부산 여행	6	7	8	9	10	11 등산

>>> **들어가기** Introduction

1. 이번 주말(4일, 5일)에는 무엇을 할 것입니까? 등산을 언제 갈 것입니까?
2. 여러분은 주말에 보통 무엇을 합니까?

>>> **어휘** Vocabulary

Let's study how to express days and weekend activities in Korean.

1 요일 (Days)

월요일 Monday   화요일 Tuesday

수요일 Wednesday   목요일 Thursday

금요일 Friday   토요일 Saturday

일요일 Sunday   주말 weekend

2 주말 활동 (Weekend activities)

쉬다 to rest   청소하다 to clean

빨래하다 to do laundry   요리하다 to cook

산책하다 to take a walk   데이트를 하다 to go on a date

영화를 보다 to watch a movie   쇼핑하다 to go shopping

등산하다 to climb a mountain   여행하다 to travel

>>> **문장 읽기** Reading Sentences

What expressions are used when you want to talk about future plans or hopes? Let's read the following sentences.

1. -(으)ㄹ 것이다

1) 저는 토요일에 친구를 만날 것입니다.

                         I'm going to meet my friend this Saturday.

2) 이번 주말에 여행할 것입니다.

3) 내일은 집에서 책을 읽을 것입니다.

2. -고

1) 이 옷은 싸고 좋습니다. These clothes are cheap and nice.

2) 제임스 씨는 일요일에 청소를 하고 세탁을 합니다.

3) 내일은 산책을 하고 운동을 할 것입니다.

3. -고 싶다

1) 주말에 등산을 하고 싶습니다. I want to climb a mountain this weekend.

2) 오후에 영화를 보고 싶습니다.

3) 너무 피곤합니다. 그래서 주말에는 쉬고 싶습니다.

연습 (Practice)

1. Tick all the sentences with the right tense.

　　1) 어제 공원에서 운동을 합니다.　　　　　(　　　　)
　　2) 내일 친구와 영화를 볼 것입니다.　　　　(　　　　)
　　3) 다음 주말에 데이트했습니다.　　　　　　(　　　　)
　　4) 수진 씨는 지금 책을 읽습니다.　　　　　(　　　　)
　　5) 이번 주 일요일에 여행을 갈 것입니다.　　(　　　　)

2. Match a picture to a sentence that gives a proper description to the picture.

1) 저는 오늘 수영을 하고 싶었습니다. 그렇지만 산에 갔습니다.

　　　　　　　　　　　　　　　　　　　　(　　　　)

2) 저는 주말에 영화를 보고 쇼핑을 했습니다.　　(　　　　)

3) 내일은 수영을 할 것입니다.　　　　　　　　(　　　　)

>>> 과제 Task

1 과제 1 (Task 1)

1. What do you usually do on weekends? Talk about some weekend activities.

2. The following is a passage describing Mr. Youngsoo Kim's weekend activities. Read carefully and select all the activities Mr. Kim usually does on weekends.

김영수 씨는 회사원입니다.
월요일부터 금요일까지 일합니다.
그리고 주말에는 집에서 쉽니다.
일요일 아침에는 늦게 일어납니다.
아침 식사 후에 청소를 하고 빨래를 합니다.
그리고 오후에는 음악을 듣고 책을 읽습니다.
저녁에는 텔레비전을 봅니다.

3. Ask your partner what he/she usually does on weekends. Switch roles.

2 과제 2 (Task 2)

1. Do you often go on a trip? Which do you prefer visiting a mountain or a beach? What activities can you do at those places? Talk about it.

2. The following passage describes what James did last week and what he is going to do this week. After reading the passage, make a mark (∨) at a squared box appropriately.

> 나는 지난 주말에 등산을 했습니다. 친구와 같이 북한산에 갔습니다. 산에서 점심을 먹고 사진도 찍었습니다. 좀 피곤했습니다. 그렇지만 기분은 아주 좋았습니다.
>
> 이번 주말에는 부산에 갈 것입니다. 부산에서 바다도 보고 배도 타고 싶습니다. 그리고 생선회도 먹고 싶습니다.

1) 친구와 같이 등산을 합니다.   □ 지난   □ 이번
2) 바다 여행을 합니다.   □ 지난   □ 이번
3) 산에서 점심을 먹습니다.   □ 지난   □ 이번
4) 배를 타고 바다를 봅니다.   □ 지난   □ 이번
5) 생선회를 먹습니다.   □ 지난   □ 이번

3. What did you do last weekend? And what are you going to do this weekend? Write your plan and present it to your classmates.

3 과제 3 (Task 3)

1. Have you ever received a questionnaire? What personal information is normally asked in a survey? Considering your experience, talk about a form and contents of a questionnaire.

2. The following is an example of questionnaire concering weekend activities. Read the questionnaire and reply to it.

설 문 지

이름:_____ 나이:_____ 직업:_____ 성별: 남, 여

1. 주말에 보통 무엇을 합니까?　　운동 □　　여행 □　　영화 □
　　　　　　　　　　　　　　　　쇼핑 □　　독서 □
　　　　　　　　　　　　　　　　기타(　　　　　　　　　　)

2. 주말에 어디에 자주 갑니까?　　영화관 □　　백화점/시장 □
　　　　　　　　　　　　　　　　교회 □　　공원 □
　　　　　　　　　　　　　　　　기타(　　　　　　　　　　)

3. 집에서는 무엇을 합니까?　　잡니다 □　　텔레비전을 봅니다 □
　　　　　　　　　　　　　　　청소합니다 □　　빨래합니다 □
　　　　　　　　　　　　　　　요리합니다 □
　　　　　　　　　　　　　　　기타(　　　　　　　　　　)

4. 주말에 텔레비전을 몇 시간 봅니까?　　안 봅니다 □
　　　　　　　　　　　　　　　　　　　1시간~3시간 □
　　　　　　　　　　　　　　　　　　　3시간~5시간 □
　　　　　　　　　　　　　　　　　　　5시간 이상 □

5. 이번 주말에는 무엇을 하고 싶습니까? (　　　　　　　　　　)

---

3. Make inquiries about your partner's weekend activities. And present your survey result to your partner.

주말 weekend	−(으)ㄹ 것이다 to be going to, will
이번 this time	−고 and
공원 park	다음 next
주 week	늦게 late
아침 식사 breakfast	후 after
지난 last	사진을 찍다 to take a picture
좀 a little	기분 feeling
좋다 to be good	바다 sea
배 ship	타다 to ride
생선회 sliced raw fish	설문지 questionnaire
나이 age	성별 sex, gender
남 male	여 female
보통 ordinarily, usually	쇼핑 shopping
독서 reading	기타 etc., and so forth, and the like
영화관 movie theater	시장 market
교회 church	시간 time

>>> 자기 평가 Self-Assessment

Do you have a full understanding of what you have studied in this chapter? Assess your Korean on the scale of 1 to 3, with 3 being the best score. (Study more if necessary).

Assessment Item	Self-Assessment		
1. Can you understand the vocabulary related to weekday and weekend activities?	1	2	3
2. Can you understand the sentences describing future plans?	1	2	3
3. Can you read and understand the sentences describing weekend activities?	1	2	3
4. Can you understand and answer a brief questionnaire about weekend activities?	1	2	3

>>> 한국의 문화 (Korean Culture) : Insa-dong, the crossroad of the old and new

Insa-dong, in a sense, represents the crossroad of the old and the new in Korea. Insa-dong and its vicinity used to be the residential area of officials, extended royal family, and the privileged, *yangban*. Old days are alive in the antique furniture, china, and traditional handicraft stores that await visitors to Korea. The galleries, the traditional tea houses, the antique shops, and the calligraphy shops provide a view of ancient Korea. Insa-dong is a popular destination for people who wish to escape from their busy, modern lifestyle to a time when traditional value made life seem simple.

Shopping

물건 사기

•••GOALS

To find out the price and quality of goods by reading a short description and advertising leaflet.

- VOCABULARY : Shopping, Food and daily necessities of life, Numbers
- GRAMMAR : 이/그/저, -(으)러 가다/오다, -(으)ㄴ
- Korean Culture : Korean markets

>>> **들어가기** Introduction

1. 이곳은 어디입니까? 이곳에서 어떤 물건을 살 수 있습니까?
2. 여러분은 주로 어디에서 물건을 삽니까?

어휘 Vocabulary

Let's study expressions necessary when buying and selling goods, and how to read the numbers of 10,000 and up.

1 쇼핑 (Shopping)

시장 market 　　　　　　백화점 department store

가게 store 　　　　　　　슈퍼마켓 supermarket

값 price 　　　　　　　　원 won

사다 to buy 　　　　　　팔다 to sell

싸다 to be cheap 　　　　비싸다 to be expensive

고르다 to choose

마음에 들다(듭니다) to be satisfied with

○ 언어 노트(Language Tip) : ㄹ irregular verb
Verbs which end with ㄹ such as 팔다, 살다 and 만들다 are conjugated irregularly to 팝니다, 삽니다, 만듭니다 when combined with -ㅂ니다.

2 식품과 생활용품 (Food and Daily necessities)

우유 milk 　　　　　　　빵 bread

과자 cookies 　　　　　　물 water

비누 soap 　　　　　　　치약 toothpaste

칫솔 toothbrush 　　　　샴푸 shampoo

수건 towel 　　　　　　　휴지 tissues

3 수 (Numbers)

십 ten 　　　　　　　　　백 one hundred

천 one thousand 　　　　만 ten thousand

십만 one hundred thousand 　백만 one million

천만 ten million

Let's study demonstrative/purposive expressions and noun-modifying forms.

1. 이, 그, 저

1) 이 가방은 싸고 좋습니다. This bag is cheap and nice.
2) 저 책은 한국어 책입니다.
3) 아저씨, 그 구두는 얼마입니까?
4) 어제 옷을 샀습니다. 그 옷은 30,000원입니다.

2. –(으)러 가다/오다

1) 백화점에 구두를 사러 갑니다. I go to the department store to buy shoes.
2) 친구와 같이 점심을 먹으러 식당에 갑니다.
3) 한국에 한국말을 배우러 왔습니다.

3. –(으)ㄴ

1) 시장에서 싼 가방을 샀습니다. I bought a cheap bag at the market.
2) 가게에 좋은 지갑이 많습니다.
3) 맛있는 빵을 먹었습니다.

○ 언어 노트(Language Tip) : modifying form of 있다/없다
Adjectives ending with –있다/없다 take –는 instead of –(으)ㄴ when modifying a noun, as in: 재미있는 책 (an interesting book), 재미없는 영화 (an uninteresting movie), 맛있는 음식 (delicious food), and 맛없는 음식 (bad-tasting food).

✏️ 연습 (Practice)

1. Look at the pictures below and fill in the blanks with 이, 그, 저.

1)

손님: 아저씨, 저 가방은 얼마예요?

주인: _____ 가방은 30,000원이에요.

2)

수진: 영민 씨, _____ 코트는 따뜻합니까?

영민: 네, 이 코트는 아주 따뜻합니다.

3)

마이클: 수진 씨, 그 책은 한국어 책입니까?

수 진 : 아니요, _____ 책은 영어 책입니다.

2. Fill in the blanks with words in the box.

보기   병원 식당 커피숍 우체국 영화관

1) 마이클 씨는 편지를 보내러 _____에 갔습니다.
2) 사라 씨는 저녁을 먹으러 _____에 갑니다.
3) 나는 내일 영화를 보러 _____에 갈 것입니다.

3. Complete each sentence with a proper word.

1) 어제 친구와 같이 _____ 영화를 보았습니다. 그래서 기분이 아주 좋았습니다.

   ① 재미있고   ② 재미있는   ③ 재미있습니다

2) 그 구두는 예쁘고 _____.

   ① 편하고   ② 편한   ③ 편합니다

3) 그 가게에는 싸고 _____ 옷이 많습니다. 그래서 사람들이 많이 갑니다.

   ① 좋고   ② 좋은   ③ 좋습니다

>>> **과제** Task

1 과제 1 (Task 1)

1. What things do you buy at a store? What do you say to buy them? Talk about the usual expressions used to buy things.

2. The following text describes an event of buying a bag at a market. Read it carefully and answer the questions.

> 오늘 여행 가방을 사러 시장에 갔습니다. 시장에는 가방 가게가 많았습니다. 나는 큰 가방을 하나 골랐습니다.
>
> "이 가방은 얼마입니까?"
> "70,000원입니다. 아주 좋은 가방입니다."
>
> 가방이 마음에 들었습니다. 그렇지만 좀 비쌌습니다. 나는 그 가방을 60,000원에 샀습니다.

1) 이 사람은 무엇을 하러 시장에 갔습니까?

2) 이 사람은 어떤 가방을, 얼마에 샀습니까?

    ① 작은 가방을 60,000원에 샀습니다.

    ② 큰 가방을 70,000원에 샀습니다.

    ③ 큰 가방을 60,000원에 샀습니다.

3. Imagine that you are the owner of the store. Using the above information, complete a dialogue below. Then, talk with your partner.

    주인 : 어서 오세요. 뭘 찾으세요?

    손님 : _____

    주인 : 이것은 어떻습니까?

    손님 : _____

    주인 : 얼마입니까?

    손님 : _____

2 과제 2 (Task 2)

1. What are the following two places? Describe each place. Talk about which place you visit more often, one or the other, and the reason why.

2. The following is a passage comparing a department store with a market. Read
   and find out which specialties these two places have.

서울에는 백화점과 시장이 많습니다.
백화점은 크고 깨끗합니다.
백화점에는 좋은 물건들이 많습니다.
그렇지만 값이 조금 비쌉니다.

시장에서도 여러 가지 물건을 팝니다.
시장은 조금 복잡합니다.
그렇지만 물건 값이 쌉니다.
그래서 사람들이 많이 갑니다.

 ① 복잡합니다   ② 깨끗하고 큽니다
③ 싼 물건이 많습니다   ④ 값이 비쌉니다
⑤ 좋은 물건이 많습니다

1) 백화점 (⑤,   )
2) 시장 (   )

3. Which store do you often visit to buy things? Describe it to your friends. Tell
   your friends what kinds of goods it sells and how much those goods cost.

3 과제 3 (Task 3)

1. Have you ever seen an advertising leaflet? What kind was it? What information
   did you get from the leaflet? Talk about it with your friends.

2. The following is a sales leaflet at "Seoul Department Store." Read carefully and put ○ if right, and × if wrong.

서울백화점 가을 POWER SALE!!!

아름다운 가을, 서울 백화점으로 여러분을 초대합니다.

10/12(금) - 10/21(일)

30% 할인   옷, 스카프   장소: 2층 - 5층

20% 할인   구두, 가방   장소: 1층

20% 할인   생활용품 (비누, 치약, 휴지 등)   장소: 지하 1층

10% 할인   식품 (과일, 과자, 우유, 빵 등)   장소: 지하 1층

★ 세일 기간 중에는 일요일에도 문을 엽니다.
★ 세일 기간 중 10/20(토)과 10/21(일)에는 오후 8시30분까지 연장영업 합니다.
★ 백화점 카드로 물건을 사시면 5% 할인을 더 받을 수 있습니다.

1) 이 백화점은 10월 12일부터 21일까지 세일입니다.   (   )
2) 옷은 30% 할인합니다.   (   )
3) 세일 기간 중에는 일요일에 문을 안 엽니다.   (   )
4) 토요일에는 8시까지 물건을 팝니다.   (   )
5) 지하 1층에서는 생활용품과 식품을 팝니다.   (   )

3. Talk with your friend about the contents of the leaflet. Ask him/her for the following information, then switch roles and answer your friend.

1) 일요일에도 문을 엽니까?

2) 언제부터 언제까지 세일입니까?

3) 옷은 어디에서 팝니까?

이곳 here	어떤 what, which
–(으)ㄹ 수 있다 can	여러분 everyone, all of you
주로 mainly	이 this
그 the	저 that
얼마입니까? How much is it? (*formal expression*)	구두 shoes
얼마예요? How much is it? (*informal expression*)	–(으)러 가다/오다 to go/come to
지갑 purse	맛있다 to be delicious
왜 why	주인 owner
코트 coat	따뜻하다 to be warm
영어 English	예쁘다 to be pretty
편하다 to be comfortable	많다 to be a lot
크다 to be big/large	작다 to be small, little
어서 quickly, fast	뭘 what
찾다 to search for	이것 this
어떻다 to be how	깨끗하다 to be clean
복잡하다 to be complicated	아름답다 to be beautiful
가을 autumn	–(으)로 to (place)
초대하다 to invite	기간 period
할인 discount	스카프 scarf
장소 place	생활용품 commodities
등 etc.	지하 underground
식품 food	과일 fruit
세일 sale	열다 to open
연장 영업 extended business hours	카드 card
–(으)면 if	더 more
받다 to receive	중에 among

>>> ## 자기 평가 Self-Assessment

Do you have a full understanding of what you have studied in this chapter? Assess your Korean on the scale of 1 to 3, with 3 being the best score. (Study more if necessary).

Assessment Item	Self-Assessment		
1. Can you understand shopping-relevant vocabulary?	1	2	3
2. Can you understand writing about places to shop objects and gleam the specialty of each place?	1	2	3
3. Can you get information necessary to you from an advertising leaflet?	1	2	3

>>> 한국의 문화 (Korean Culture) : Korean markets

In Korea, there are many traditional markets in every region. These markets sell various items including clothes, food, and general merchandise. Since the customer and the manufacturer meet directly, prices are fairly low. Two famous traditional markets are Namdaemun Market and Dongdaemun Market in Seoul. Big department stores enforce a fixed price system, but traditional stores don't. Customers in traditional stores often say "깎아 주세요" or "싸게 주세요" to get a discount. This is common practice.

09 | 음식

To read and understand writings concerning Korean foods and their tastes.

- VOCABULARY : Korean food, Tastes, Expressions related to a restaurant
- GRAMMAR : - 중에서, -는
- Korean Culture : Korean foods

차 림 표

김치찌개	4,000원
된장찌개	4,000원
비 빔 밥	4,500원
생선찌개	5,000원
설 렁 탕	5,000원
갈 비 탕	5,000원
불 고 기	8,000원
돼지갈비	6,000원

>>> 들어가기 Introduction

1. 이것은 무엇입니까? 여기에 무엇이 있습니까?
2. 여러분은 이 음식 중에서 어느 것을 제일 좋아합니까?

What expressions can we use to talk about food? We will study the expressions related to Korean foods and their tastes, and the expressions used to place an order in a restaurant.

1 한국 음식 (Korean foods)

밥 boiled rice

불고기 *bulgogi*

냉면 *naengmyeon*

(김치)찌개 (kimchi) *jjigae*

국 soup

갈비 *galbi*

비빔밥 *bibimbap*

(갈비)탕 (*galbi*) *tang*

2 음식의 맛 (Tastes)

맛이 있다 to be delicious

달다 to be sweet

맵다 to be spicy

짜다 to be salty

맛이 없다 to be untasty

시다 to be sour

쓰다 to be bitter

싱겁다 to be bland

3 식당 관련 어휘 (Expressions related to a restaurant)

메뉴 menu

젓가락 chopsticks

시키다 to order, to place an order

숟가락 spoon

주문하다 to order, to place an order

계산서 bill

What expressions can we use to talk about food? Let's study the following sentences.

1. – 중에서

1) 한국 음식 중에서 불고기가 제일 맛이 있습니다.

Bulgogi is the most delicious among the Korean foods.

2) 저는 과일 중에서 사과를 제일 좋아합니다.

3) 가족 중에서 형이 제일 키가 큽니다.

2. –는

1) 제가 제일 좋아하는 운동은 수영입니다. Swimming is my favorite sport.

2) 저기에서 신문을 읽는 사람이 제 친구입니다.

3) 제가 사는 집은 여의도에 있습니다.

 연습 (Practice)

1. Put ○ if right, and × if wrong.

1) 저는 친구 중에서 김진수 씨를 제일 좋아합니다.   (   )
2) 저는 바나나 중에서 과일을 제일 좋아합니다.   (   )
3) 불고기 중에서 한국 음식이 제일 맛이 있습니다.   (   )
4) 이것이 어제 백화점에 사는 옷입니다.   (   )
5) 저기에서 밥을 먹는 사람이 제 동생입니다.   (   )
6) 한국 음식을 잘 먹는 외국인이 많습니다.   (   )

2. Fill in the blanks with the appropriate word from the box.

보기   – 중에서, – 중에, –에서

1) 서울 _____ 제일 높은 빌딩이 어디에 있습니까?
2) 제 옷 _____ 이 옷을 제일 좋아합니다.
3) 우리 학교 학생 _____ 아프리카 학생이 두 명 있습니다.

3. Choose a proper word in 1), 2), 3) and 4).

제 친구들 사진입니다. 키가 1) (① 큰, ② 크는) 사람이 제임스 씨입니다. 제임스 씨는 제가 제일 2) (① 좋아한, ② 좋아하는) 친구입니다. 그 옆에 3) (① 있은, ② 있는) 사람은 스미스 씨입니다. 스미스 씨는 4) (① 유명한, ② 유명하는) 화가입니다.

>>> 과제 Task

1 과제 1 (Task 1)

1. Have you been to a Korean restaurant? What kind of Korean food have you tried?

2. Read the following passage and answer the questions.

저는 오늘 한국 친구와 같이 한식집에 갔습니다. 그 식당은 서울에서 아주 유명합니다. 손님이 아주 많았습니다. 외국 사람도 몇 명 있었습니다. 음식이 여러 가지 있었습니다. 그 중에서 제가 제일 좋아하는 음식은 불고기였습니다. 우리는 불고기 2인분을 시켰습니다. 불고기를 다 먹고 냉면을 시켰습니다. 저는 오늘 냉면을 처음 먹었습니다. 아주 맛이 있었습니다.

1) Choose a sentence that describes the above restaurant wrongly.

    ① 한국 음식점입니다.

    ② 서울에서 아주 유명한 식당입니다.

    ③ 외국 손님이 아주 많았습니다.

2) What did the author eat at the restaurant today?

3. What is your favorite food? What is it like? Talk with your friends.

2 과제 2 (Task 2)

1. Find a dish you like in the menu below. And explain the taste of the dish briefly.

2. James, Susan and Yoko went to a restaurant. Each person would probably choose a dish that he/she wants to have. Write down the name of a dish on the underlines provided below.

식 사		주 류	
김치찌개	4,000원	소주	2,000원
된장찌개	4,000원	맥주	3,000원
설렁탕	5,000원	**음료수**	
냉면	4,000원		
불고기(1인분)	10,000원	콜라	1,000원
돼지갈비(1인분)	7,000원	사이다	1,000원

1) 제임스 씨는 매운 음식을 좋아합니다. 오늘은 매운 찌개를 먹고 싶습니다. _____

2) 수잔 씨는 지금 운동을 많이 했습니다. 시원한 음식을 먹고 싶습니다. _____

3) 요코 씨는 어제 불고기를 많이 먹었습니다. 그런데 지금도 고기를 먹고 싶습니다. _____

3. What dish would you like to order from the above menu? Why do you choose the dishes?

3 과제 3 (Task 3)

1. Have you ever been invited to a Korean home for dinner? How did you feel? If not, what do you think of the picture below?

2. The picture in the following text shows a Korean table set for dinner. Read the text and statements 1), 2), and 3) carefully. Put ○ if a statement is right, and put × if wrong.

한국 사람들의 식탁에는 밥과 국이 있습니다. 그리고 반찬이 많습니다. 밥과 국은 식사하는 사람 앞에 있습니다. 그리고 이것들은 혼자서 먹습니다. 식탁 가운데에는 반찬이 많습니다. 고기, 찌개, 김치 등이 있습니다. 식사하는 사람들은 이 반찬을 같이 먹습니다.

1) 반찬은 보통 식사하는 사람 앞에 있습니다.   (   )
2) 밥과 국은 혼자서 먹습니다.   (   )
3) 고기, 찌개, 김치는 다른 사람과 같이 먹습니다.   (   )

3. What is the most popular food in your country? Talk about it.

음식 food	여기 here
−중에서 among	제일 most, the first, the best
키가 크다 to be tall	−는 *present-tense noun-modifying suffix*
제 my	저기 there
여의도 Yeouido	바나나 banana
잘 well	외국 사람 /외국인 foreigner
높다 to be high	빌딩 building
아프리카 Africa	유명하다 to be famous
화가 artist, painter	인분 portion (an amount of food fo one person)
다 all, every	처음 first
음식점 restaurant	주류 alcoholic liquors
음료수 beverage	시원하다 to be cool
고기 meat	식탁 dining table
반찬 side dishes	혼자서 by oneself, for oneself
한가운데 in the middle of	같이 together

>>> 자기 평가 Self-Assessment

Do you have a full understanding of what you have studied in this chapter? Assess your Korean on the scale of 1 to 3, with 3 being the best score. (Study more if necessary).

Assessment Item	Self-Assessment		
1. Do you understand the expressions for Korean foods and their tastes?	1	2	3
2. Can you order foods in menu?	1	2	3
3. Can you understand writings about Korean restaurants or foods?	1	2	3
4. Have you learned the basics of Korean dining culture?	1	2	3

>>> 한국의 문화 (Korean Culture) : Korean foods

On a Korean restaurant menu, you can see words like 찌개, 탕, 밥, 전, etc. This shows that there are various kinds of Korean food. The following gives a brief explanation for these four Korean-style foods.

찌개 : It has less liquid than 국 and is boiled with seasoned with meat, fish and vegetables. 찌개 sometimes tastes salty.

탕 : It is soup cooked with meat or bones for a fairy long time.

밥 : Boiled or steamed rice. A cook sometimes boils rice with miscellaneous cereals (such as barley and beans)

전 : A flour dishes fried with meat, vegetables or sliced seafood.

김치찌개

갈비탕

비빔밥

파전

●●●**GOALS**

To understand seasonal activities and the distinctiveness of Korea's four
seasons by learning season-relevant expressions.

● VOCABULARY : Season-relevant expressions, Colors
● GRAMMAR : -지만, -(으)면
● Korean Culture : The four seasons of Korea

>>> **들어가기** Introduction

1. 무슨 계절입니까? 이 계절에는 무엇을 합니까?
2. 여러분은 어느 계절을 제일 좋아합니까?

Let's study season-relevant expressions and colors.

1 계절 관련 어휘 (season-relevant expressions)

봄 spring	여름 summer
가을 autumn	겨울 winter
장마철 rainy season	따뜻하다 to be warm
덥다 to be hot	춥다 to be cold
시원하다 to be cool	

2 색 (Colors)

하얗다 to be white	파랗다 to be blue
노랗다 to be yellow	빨갛다 to be red
까맣다 to be black	하얀색 white
파란색 blue	노란색 yellow
빨간색 red	까만색 black

>>> 문장 읽기 Reading Sentences

Let's study −지만, which means "but" in English and −(으)면, which means "if, when" in English.

1. −지만

1) 오늘 눈이 오지만 안 춥습니다. It's snowing today, but not cold.

2) 저의 가족은 키가 크지만 저는 키가 작습니다.

3) 저는 미국 사람이지만 한국말을 잘 합니다.

2. –(으)면

1) 여름이 되면 날씨가 덥습니다. It's hot when summer comes.
2) 창문을 열면 시원합니다.
3) 저는 시간이 있으면 영화를 봅니다.

연습 (Practice)

1. Choose the correct sentence.

1) ① 지금 날씨가 아주 춥고 밖에 나가고 싶습니다.

　② 지금 날씨가 아주 춥지만 밖에 나가고 싶습니다.

2) ① 여름이고 날씨가 안 덥습니다.

　② 여름이지만 날씨가 안 덥습니다.

3) ① 아침에 운동을 하고 샤워를 합니다.

　② 아침에 운동을 하지만 샤워를 합니다.

4) ① 매일 한국말을 열심히 공부하고 한국말을 잘 모릅니다.

　② 매일 한국말을 열심히 공부하지만 한국말을 잘 모릅니다.

5) ① 지금 피곤하고 안 쉽니다.

　② 지금 피곤하지만 안 쉽니다.

6) ① 오늘은 점심을 먹고 친구를 만날 것입니다.

　② 오늘은 점심을 먹지만 친구를 만날 것입니다.

2. Fill in the blanks with the best answer.

1) 대학교를 졸업하면 _____.

　① 열심히 공부합니다

　② 회사에서 일하고 싶습니다

　③ 열심히 공부했습니다

2) 오늘 친구를 만나면 _____.

   ① 같이 영화를 볼 것입니다

   ② 안 만났습니다

   ③ 어제도 만났습니다

3) 겨울에 눈이 많이 오면 _____.

   ① 스키장에 갑니다

   ② 지난 겨울에는 눈이 안 왔습니다

   ③ 눈이 조금 올 것입니다

>>> **과제** Task

1 과제 1 (Task 1)

1. Match each season on the left to its feature on the right.

① 봄 ·		· ㉮ 춥습니다
② 여름 ·		· ㉯ 시원합니다
③ 가을 ·		· ㉰ 덥습니다
④ 겨울 ·		· ㉱ 따뜻합니다

2. The following describes four seasons in Korea. Read carefully and answer the questions.

한국에는 봄, 여름, 가을, 겨울, 사계절이 있습니다.
봄에는 바람이 좀 불지만 따뜻합니다. 예쁜 꽃이 많이 핍니다. 여름은 덥습니다. 여름에는 장마철이 있습니다. 이때는 비가 많이 옵니다.
(㉠)에는 시원합니다. 하늘이 아주 맑고 파랗습니다. 겨울은 춥고 눈이 많이 옵니다.

1) Write down a proper word in ㉠.

㉠ _____

2) Choose a sentence that does not cohere with the above passage.

① 봄에는 날씨가 덥습니다.　　② 여름에는 비가 많이 옵니다.
③ 겨울에는 눈이 많이 옵니다.

3. Talk about the seasons of your country with your friends.

2 과제 2 (Task 2)

1. People do various activities in each season. The following six activities are some of them. If there is any you like, what is it?

□ 스키를 탑니다.　　　　　□ 단풍 구경을 갑니다.

□ 바다에서 수영을 합니다.　□ 눈사람을 만듭니다.

□ 꽃 구경을 갑니다.　　　　□ 외국으로 여행을 갑니다.

2. The following passage describes what Michael did last summer. Read carefully and answer the questions.

여름은 덥습니다. 그렇지만 저는 사계절 중에서 여름을 제일 좋아합니다. 여름에는 방학이 있습니다. 여름이 되면 저는 수영을 하러 바닷가에 갑니다.

지난 여름에도 친구와 같이 바닷가에 갔습니다. 수영을 하고 맛있는 생선회도 먹었습니다. 아주 즐거웠습니다.

1) 마이클은 여름에 무엇을 합니까?

2) 위의 내용과 다른 것을 고르십시오.

① 마이클은 회사원입니다.   ② 마이클은 여름이 제일 좋습니다.

③ 마이클은 지난 여름에 바닷가에서 생선회를 먹었습니다.

3. Write about your favorite season. Give the reasons why you like the season and write down what activities you do.

3 과제 3 (Task 3)

1. Do you like cold weather? What do you usually do when it is cold or snowy?

2. The following is a letter Young-hee wrote in Canada. Read carefully and answer the questions.

> 김 선생님께
> 안녕하십니까?
> 저는 지금 캐나다에 있습니다. 이곳은 아주 춥습니다. 어제는 눈이 많이 왔습니다.
> 이곳 사람들은 눈이 오면 스키장에 갑니다. 저도 내일 친구와 같이 스키장에 갈
> 것입니다. 스키장에서 스키도 타고 사진도 찍을 것입니다. 선생님, 건강하게 지내
> 십시오. 안녕히 계십시오.
>
> 2007년 12월 10일
> 캐나다에서 영희 올림

1) 지금 캐나다의 날씨는 어떻습니까?

2) 영희는 내일 무엇을 할 것입니까?

3. Which season does your country falls in at this moment? What do people usually do in this season?

새 단어 New Words

계절 season	어느 which
–지만 but	눈 snow
키가 작다 to be short	날씨 weather
매일 everyday	모르다 not to know
샤워를 하다 to take a shower	졸업하다 to graduate
스키장 ski slope	바람 wind
불다 to blow	피다 to bloom
장마철 rainy season	때 time, moment
비 rain	하늘 sky
맑다 to be clear	스키를 타다 to ski
수영을 하다 to swim	눈사람 snowman
만들다 to make	방학 vacation
되다 to become	바닷가 seashore
즐겁다 to be happy	–께 to (*honorific for* –에게)
캐나다 Canada	지내다 to spend, live
올림 from, yours sincerely (*honorific*)	

>>> 자기 평가 Self-Assessment

Do you have a full understanding of what you have studied in this chapter?
Assess your Korean on the scale of 1 to 3, with 3 being the best score. (Study
more if necessary).

Assessment Item	Self-Assessment		
1. Can you understand season/weather/color-relevant expressions?	1	2	3
2. Can you understand the sentences with –지만 or –(으)면?	1	2	3
3. Can you read and understand the sentences describing seasonal activities and the distinctiveness of four seasons?	1	2	3

>>> 한국의 문화 (Korean Culture) : The four seasons of Korea

Korea has four distinct seasons. Spring is usually from March through May, summer from June to August, fall from September through November and winter from December to February. Mid-June to late-July is the rainy season. The temperature drops as low as -15°C in winter and rises as high as 34°C in summer. It is usually fine and sunny in spring and fall, but sandy dust sometimes blows over from China in spring.

Weather

날씨

To understand weather forecasts by learning weather-relevant expressions.

● VOCABULARY : Weather, Temperature
● GRAMMAR : −겠습니다, −(으)ㄹ 수 있다/없다, −지 않다
● KOREAN CULTURE : The climate of Korea

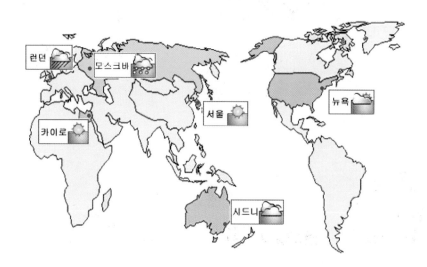

>>> **들어가기** Introduction

1. 서울 날씨는 어떻습니까?
2. 여러분이 있는 곳의 날씨는 어떻습니까?

어휘 Vocabulary

Let's study weather-relevant expressions.

1 날씨 (Weather)

(날씨가) 좋다/화창하다 to be fine   (날씨가) 나쁘다 to be bad

맑다 to be clear   흐리다 to be cloudy

비가 오다 to rain   개다 to clear up

눈이 오다/내리다 to snow   바람이 불다 to be windy

안개가 끼다 to be foggy

2 온도 (Temperature)

기온 temperature   도 degree

영상 above zero   영하 below zero

최고 기온 the highest temperature   최저 기온 the lowest temperature

>>> **문장 읽기** Reading Sentences

What grammatical forms can we use to predict a future event to express a possibility/ probability and to make a negative sentence?

1. –겠습니다

1) 내일은 눈이 오겠습니다. It will snow tomorrow.

2) 오후에는 비가 오고 바람이 불겠습니다.

3) 지금 집에서 나가면 약속 시간에 늦겠습니다.

2. -(으)ㄹ 수 있다/없다

1) 제임스 씨는 한국 음식을 만들 수 있습니다. James can cook Korean foods.

2) 프엉 씨는 한국어 책을 잘 읽을 수 있습니다.

3) 저는 자전거를 탈 수 없습니다.

3. -지 않다

1) 토요일에는 보통 공부하지 않습니다. We usually don't study on Saturdays.

2) 지난 주말은 춥지 않았습니다.

3) 내일은 회사에 가지 않을 것입니다.

✎ 연습 (Practice)

1. Choose all the sentences that have wrong use of -겠습니다 and do not make sense.

1) 어제는 눈이 오고 비가 오겠습니다.

2) 내일부터 백화점 세일입니다. 사람이 아주 많겠습니다.

3) 비가 옵니다. 내일은 좀 춥겠습니다.

4) 수진 씨는 조금 전에 식사를 하겠습니다.

2. Fill in the blanks with an appropriate answer.

1) 제임스 씨는 1년 동안 수영을 배웠습니다. 그래서 _____.

   ① 수영을 할 수 있습니다　　　② 수영을 할 수 없습니다

2) 비가 많이 옵니다. 그래서 _____.

   ① 산책을 할 수 있습니다　　　② 산책을 할 수 없습니다

3) 그 슈퍼마켓에서는 수건을 안 팝니다. 그 가게에서는 수건을

   _____.

   ① 살 수 있습니다　　　　　② 살 수 없습니다

3. Fill in the blanks with an appropriate answer.

1) 금요일 오후에는 바쁘지 않습니다. _____.

    ① 일을 합니다.   ② 일이 많습니다   ③ 시간이 있습니다

2) 수진 씨는 테니스를 배우지 않았습니다. 그래서 테니스를_____.

    ① 잘 치겠습니다   ② 칠 수 없습니다   ③ 칠 수 있습니다

3) 내일은 출근하지 않을 것입니다. _____.

    ① 집에서 쉴 것입니다   ② 회사에서 일할 것입니다

    ③ 회사에 갈 것입니다

>>> **과제** Task

1 과제 1 (Task 1)

1. How's the weather today? Is it good for doing outdoor activities? Talk about the proper weather for doing the following activities.

등산, 소풍, 낚시, 스키, 테니스, 수영, 패러글라이딩

2. The following passage describes the weather during the trip of the author's family. Read and find out what the weather was like during the trip.

    우리 가족은 지난 금요일에 설악산에 갔습니다. 아침에는 날씨가 맑았습니다. 그런데 점심 때부터 눈이 왔습니다.

    토요일에도 눈이 계속 내렸습니다. 우리는 산에 올라갈 수 없었습니다. 그래서 설악산 근처에 있는 바다에 갔습니다. 바다를 구경했습니다.

    일요일에는 날씨가 흐렸지만 눈은 오지 않았습니다. 우리는 등산하고 싶었지만 시간이 없었습니다. 그래서 아침 일찍 호텔을 출발했습니다. 서울로 오는 차 안에서 우리는 일기예보를 들었습니다.

    "내일부터 맑고 따뜻한 날씨가 계속되겠습니다."

1) 맞는 그림을 고르십시오.

| ① | ② | ③ | ④ |

금요일 아침 → 토요일 → 일요일 → 월요일
(①) ( ) ( ) ( )

2) 토요일에 이 사람은 무엇을 했습니까?

① 설악산에 올라갔습니다.   ② 바다를 보러 갔습니다.
③ 서울로 돌아왔습니다.

3. Sometimes travel plans can be cancelled because of bad weather. Tell your friends about a good or bad experience.

2 과제 2 (Task 2)

1. Where do you get a weather forecast? Do you get it through the newspaper, the Internet or TV? What information can you get from the weather forecast. Talk about it.

2. The following shows the weather for next week. Look at the weather forecast and answer the questions.

월	화	수	목	금	토	일
☀️	☁️	☀️	☀️	☀️	☁️	☁️
(최저/최고) 9℃/16℃	(최저/최고) 10℃/15℃	(최저/최고) 8℃/15℃	(최저/최고) 10℃/16℃	(최저/최고) 11℃/16℃	(최저/최고) 7℃/12℃	(최저/최고) 6℃/11℃

1) 어느 날이 제일 춥겠습니까?

　　① 월요일　　　　　　　② 수요일　　　　　　　③ 일요일

2) 일요일에는 날씨가 어떻겠습니까?

　　① 비가 온 후에 맑을 것입니다.　　　　② 맑은 후에 비가 올 것입니다.

　　③ 흐린 후에 비가 올 것입니다.

3) 산에 가려고 합니다. 언제가 제일 좋겠습니까?

　　① 토요일과 일요일　　　② 금요일과 토요일　　　③ 목요일과 금요일

3. Based on the above weather forecast, talk about the weather for next week with your friends as shown above.

월요일은 흐린 후에 맑을 것입니다.
최저 기온은 9℃, 최고 기온은 16℃가 될 것입니다.

3 과제 3 (Task 3)

1. Have you ever gotten a forecast of Korean weather in the newspaper or on TV? What cities were shown in the weather forecast? Where are the cities located? Look at the map on page 112 and talk about it.

2. The following describes the weather forecast of major cities in Korea. Based on the weather forecast, fill in the map with the appropriate weather.

내일 서울은 흐리고 오후에는 비가 오겠습니다. 그리고 밤 늦게부터 개겠습니다. 아침 최저 기온은 영상 10도, 낮 최고 기온은 영상 15도가 되겠습니다.

부산은 구름이 많이 끼겠습니다. 그렇지만 비는 오지 않겠습니다. 아침 최저 기온은 14도, 낮 최고 기온은 18도입니다.

제주도는 바람이 조금 불지만 맑은 날씨가 계속되겠습니다. 낮에는 20도까지 올라가겠습니다.

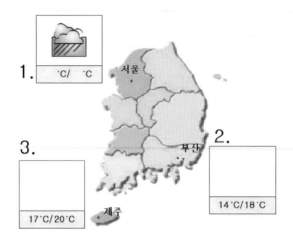

3. How's the weather where you are? Does your country get heavy snow in winter or heavy rain in summer? Following the example below, talk about the weather in your country.

시카고는 겨울에 춥고 눈이 많이 옵니다. 그래서 …

새 단어 New Words

날씨 weather	−겠습니다 will
나가다 to go out	−(으)ㄹ 수 있다/없다 can/cannot
일본어 Japanese	−지 않다 not
배우다 to learn	바쁘다 to be busy
테니스를 치다 to play tennis	소풍 picnic
낚시 fishing	패러글라이딩 paragliding
설악산 Seoraksan (Mt.)	계속 continuously
눈이 내리다 to snow	올라가다 to go up
근처 near	구경하다 to look around
일찍 early	호텔 hotel
출발하다 to start	일기예보 weather forecast
밤 night	구름이 끼다 to be cloudy
제주도 Jejudo (island)	낮 daytime

>>> **자기 평가** Self-Assessment

Do you have a full understanding of what you have studied in this chapter? Assess your Korean on the scale of 1 to 3, with 3 being the best score. (Study more if necessary).

Assessment Item	Self-Assessment		
1. Can you understand weather-relevant vocabulary?	1	2	3
2. Can you understand the expressions for predicting future events, possibilities, or negative sentence?	1	2	3
3. Can you read and understand short writings about weather?	1	2	3
4. Can you find out weather information necessary to you by receiving a weather forecast?	1	2	3

>>> 한국의 문화 (Korean Culture) : The climate of Korea

Korea belongs to the Temperate Zone. The average annual temperature of Seoul is 12.9°C. However, it has a wide annual temperature range, with the highest temperature in summer reaching 36.1°C, and the lowest temperature in winter falling to -13.7°C. During the summer, Seoul falls under the influence of the high-pressure air masses that develop over the Northern Pacific Ocean, and the weather turns hot and humid, with the mean temperature from June to September reaching 20°C. During the winter months, the mean temperature is lower than other regions located on the same latitude, due to the expansion of high-pressure air masses formed over inland Siberia whose strong northwesterly winds bring dry, cold air into Korea. Notably, the winter climate follows a predictable cycle of three cold days followed by four warm ones due to the rise and fall of the high-pressure air masses. The summer monsoon brings abundant moisture from the ocean, and produces heavy rain. About 70 percent of the annual rainfall falls from June to September. Except for this summer season, Seoul enjoys mostly fair, sunny days throughout the year. In particular, the clear sky seen during the autumn is notable for its deep, clear blue color.

12 길 찾기

•••GOALS

To understand a description of road signs and directions.

- VOCABULARY : Road/direction-relevant expressions
- GRAMMAR : −(으)로, −아/어/여서, −기
- Korean Culture : Seoul's subway system

>>> **들어가기** Introduction

1. 이런 표지판은 어디에서 볼 수 있습니까? 시청에는 어떻게 가야 합니까?

2. 여러분이 자주 가는 식당은 어떻게 갑니까?

Let's study the vocabulary related to roads and directions.

1 도로 관련 어휘 (road-relevant expressions)

길 road	사거리 intersection
횡단보도 crosswalk	지하도 underpass
신호등 traffic lights	버스 정류장 bus stop
지하철역 subway station	

2 방향 · 이동 관련 어휘 (direction-relevant expressions)

오른쪽으로 가다 to turn right	왼쪽으로 가다 to turn left
똑바로 가다 to go straight	길을 건너가다 to cross the road
올라가다 to go up	내려가다 to go down
돌아가다 to turn	

>>> **문장 읽기** Reading Sentences

Let's study a particle that indicates directions, a connective that shows a sequence of events, and a nominalizer that attaches to verb stems and gives noun-like functions.

1. -(으)로

1) 오른쪽으로 가십시오. Turn right.
2) 왼쪽으로 가십시오.
3) 3층으로 올라가십시오.

2. –아/어/여서

1) 길을 건너서 똑바로 가십시오. Cross the street and then go straight.
2) 왼쪽으로 가서 길을 건너세요.
3) 지하도를 내려가서 오른쪽으로 가십시오.

3. –기

1) 외국어를 배우기가 어렵습니다. It's difficult to learn a foreign language.
2) 서울에서 생활하기가 편합니다.
3) 아파트 앞에 큰 슈퍼가 있습니다. 그래서 물건을 사기가 쉽습니다.

연습 (Practice)

1. Fill in the blanks with proper particle.

> **보기** –에, –(으)로

1) 우체국은 은행 오른쪽_____ 있습니다.
2) 사거리에서 왼쪽_____ 가십시오. 식당 옆에 서점이 있습니다.
3) 어제 백화점_____ 갔습니다. 백화점에서 구두를 샀습니다.
4) 지하도를 건너서 오른쪽_____ 가세요.

2. Fill in the blanks with a proper word.

> **보기** 가서, 건너서, 올라가서, 내려가서

1) 횡단보도를 _____ 똑바로 가면 우리집이 있습니다.
2) 저 은행 앞에 _____ 길을 건너가세요.
3) 지하로 _____ 왼쪽으로 가세요.

3. Choose an appropriate answer to complete a sentence.

1) 한국어 책도 재미있고 선생님도 좋습니다. 그래서 한국어를

_____.

① 배우기가 어렵습니다

② 배우기가 재미있습니다

③ 배우기가 불편합니다

2) 서울에는 지하철이 많습니다. 그래서 _____.

① 생활하기가 편합니다

② 생활하기가 어렵습니다

③ 생활하기가 불편합니다

3) 저는 오늘도 그림을 그렸습니다. 저는 _____.

① 그림 그리기가 편합니다

② 그림 그리기가 좋습니다

③ 그림 그리기가 어렵습니다

>>> **과제** Task

1 과제 1 (Task 1)

1. Have you ever got lost? What did you do? Did you consult a map for directions? Or did you ask someone for directions? Talk about your experiences.

2. The following passage describes an experience James had due to his poor sense of direction. Read and find the place on the map below where he was to meet a friend of his.

저는 지난주에 시청 근처에 있는 서울 빌딩에서 약속이 있었습니다. 그런데 시청 근처에서 길을 잃어버렸습니다. 그래서 저는 다른 사람에게 물었습니다.

"실례합니다. 여기에서 서울 빌딩에 어떻게 갑니까?"
"똑바로 가면 사거리가 있습니다. 사거리에서 왼쪽으로 가면 한국 회사가 있습니다. 한국 회사 앞에서 횡단보도를 건너가면 서울 빌딩이 있습니다."

그 사람은 아주 친절했습니다. 저는 서울 빌딩에 가서 친구를 만났습니다.

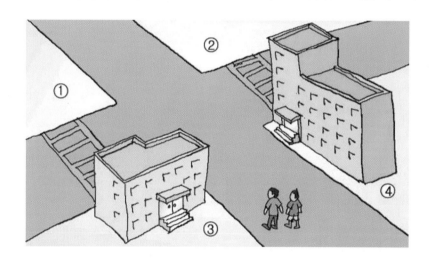

3. Where is your favorite restaurant or coffee shop located? How do you get there?

2 과제 2 (Task 2)

1. What places are in your neighborhood? Does it have any parks, stores or a movie theater you could recommend? Say briefly how to get there.

2. The following describes James' new neighborhood. Read and find 2 wrong
   places in the picture that do not cohere with the passage.

우리 집 근처에는 공원도 있고, 가게도 많습니다. 그래서 생활하기
가 아주 편합니다.

집 옆에는 큰 공원이 있습니다. 나는 아침마다 공원에 운동을 하러
갑니다. 공원에서 학교 쪽으로 똑바로 가면 서점과 가게들이 있습니
다. 그리고 공원에서 길을 건너가면 우체국이 있습니다. 그리고 우체
국에서 백화점 쪽으로 가면 영화관이 있습니다. 그 영화관에서는 언
제나 재미있는 영화를 볼 수 있습니다.

서점 앞에는 버스 정류장이 있습니다. 나는 거기에서 학교에 가는
버스를 탑니다.

3. Correct the map. And then with your partner, talk about how to get to the
   stores, movie theater and post office from A and B.

3 과제 3 (Task 3)

1. The following is James' birthday invitation. Look at the map and find out how to get to James' house from the bus stop.

2. Read the invitation and answer correctly.

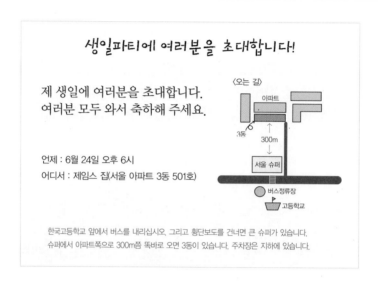

1) 언제 파티를 합니까? 어디에서 파티를 합니까?

2) 파티 장소에 가는 방법과 다른 것을 고르십시오.

   ① 한국 고등학교 앞에서 횡단보도를 건넙니다.

   ② 슈퍼에서 왼쪽으로 가면 3동이 있습니다.

   ③ 슈퍼에서 300m쯤 더 갑니다.

3. Draw a map showing the way from the bus stop or the subway station to your house. And explain to your friend how to get to your house.

>>> 자기 평가 Self-Assessment

Do you have a full understanding of what you have studied in this chapter? Assess your Korean on the scale of 1 to 3, with 3 being the best score. (Study more if necessary).

Assessment Item	Self-Assessment		
1. Can you understand direction-relevant vocabulary?	1	2	3
2. Can you understand sentences describing directions?	1	2	3
3. Can you understand sentences with a nominalizer −기?	1	2	3
4. Can you read and understand writings describing directions?	1	2	3

>>> 한국의 문화 (Korean Culture) : Seoul's subway system

The subway is considered the most effective transportation system in Seoul. Eight subway lines and a ground line of the Korean National Railroad(KNR) merge to serve Seoulites and visitors to Korea. Seoul's subway lines link its different parts and satellite cities to the center of the Metropolis. The lines are well developed and you can find most of Seoul's attractions, such as royal palaces, historical sites and theme parks, along the nine different lines.

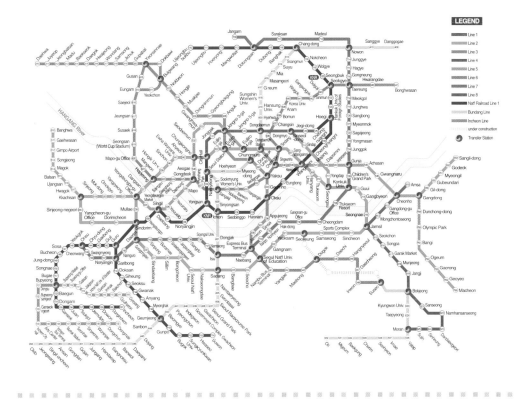

Thanks and Invitation

감사와 초대

•••GOALS

To read invitations or thank-you cards by learning relevant expressions.

- VOCABULARY : Greetings, Letters, Cards, Invitations
- GRAMMAR : −기 바라다, −아/어/여서, −게
- Korean Culture : Korean traditional wedding

일시 : 2002 년 12 월 26 일 오후 7 시   장소 : 한국호텔 장미실

>>> 들어가기 Introduction

1. 이것은 무엇입니까?
2. 여러분은 이런 것을 자주 받습니까?

Let's study appreciation/apology/invitation-relevant vocabulary.

1 인사말 (Greetings)

감사합니다.	Thank you.	고맙습니다.	Thank you.
죄송합니다.	I'm sorry.	미안합니다.	I'm sorry.
실례합니다.	Excuse me.	축하합니다.	Congratulations.

2 편지와 카드 (Letters and cards)

편지	letter	엽서	postcard
초대장	invitation	연하장	New Year's card
생일 카드	birthday card	크리스마스 카드	Christmas card

3 초대 (Invitation)

초대하다	to invite	초대를 받다	to be invited
초대장을 보내다	to send an invitation		
참석하다	to attend		

>>> **문장 읽기** Reading Sentences

Let's study how to express one's wishes, appreciation and apology and how to modify an action verb by using a descriptive verb.

1. －기 바라다

1) 내일 모임에 꼭 참석하시기 바랍니다.

                      Please attend the meeting tomorrow.

2) 존슨 씨에게 초대장을 보내기 바랍니다.

3) 오후 여섯 시까지 회사 앞에 있는 커피숍으로 나오기 바랍니다.

2. －아/어/여서

1) 도와줘서 고맙습니다. Thank you for your help.

2) 실수를 해서 미안합니다.

3) 파티에 사람들이 많이 와서 기분이 좋습니다.

3. －게

1) 이 책을 아주 재미있게 읽었습니다. I really enjoyed reading this book.

2) 이민수 씨 덕분에 즐겁게 지냈습니다.

3) 올해는 무척 바쁘게 보냈습니다.

✏️ 연습 (Practice)

1. Match the objects on the left to the appropriate greetings on the right.

1)	for persons who are to attend a meeting	• • ㉮	행복하게 살기 바랍니다.
2)	for a couple who is to get married	• • ㉯	토요일 모임에 꼭 참석하기 바랍니다.
3)	for a person who is to enter the college	• • ㉰	열심히 공부하기 바랍니다.

2. Choose an appropriate answer for the blanks.

1) 늦게 _____ 미안합니다.

   ① 오고   ② 와서

2) 오늘은 집에서 책을 _____ 쉴 것입니다.

   ① 읽고   ② 읽어서

3) _____ 감사합니다.

   ① 도와주고   ② 도와주셔서

3. Choose an appropriate answer for the blanks.

1) 영화를 _____ 보았습니다.

   ① 재미있는   ② 재미있게

2) _____ 시간에 전화해서 미안합니다.

   ① 바쁜   ② 바쁘게

3) 친구들 덕분에 한국 생활을 _____ 했습니다.

   ① 즐거운   ② 즐겁게

>>> 과제 Task

1 과제 1 (Task 1)

1. Have you ever written a thank-you letter? If so, why did you write one? Think of the things that should be included in a letter of appreciation.

2. This is a thank-you letter that Tanaka wrote. Read it carefully and answer the questions.

안녕하십니까.

저는 일본은행 서울 지점에 근무하는 다나카 신지입니다.

다음 달에 저는 일본으로 돌아갑니다.

그동안 여러 가지로 도와주셔서 대단히 감사합니다.

덕분에 한국 생활을 편하고 즐겁게 했습니다.

다시 한 번 감사드립니다.

일본에 돌아간 후에도 자주 연락하겠습니다.

건강하시기 바랍니다.

안녕히 계십시오.

2007년 12월 15일
다나카 신지 올림

1) 다나카 씨는 누구에게 이 엽서를 썼습니까?

① 일본에 있는 친구들

② 한국 생활을 도와준 사람들

③ 일본 은행에서 근무하는 사람들

2) 다나카 씨의 한국 생활은 어땠습니까?

3. Do you have someone to thank in Korea? If so, write a short thank-you letter to him/her.

2 과제 2 (Task 2)

1. Koreans often send cards for birthdays, New Year's Day and Christmas Day. When do you send cards in your country? We write different greetings according to different occasions. What greetings do you write in a birthday, a wedding anniversary and a New Year's Day card?

카 드	인사말
생일 축하 카드	
결혼 축하 카드	
연하장	

2. The following is a card Isabel wrote. Read and answer the questions.

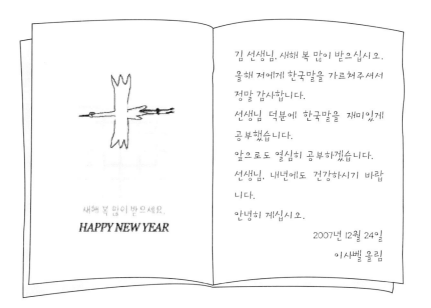

김 선생님, 새해 복 많이 받으십시오.
올해 저에게 한국말을 가르쳐주셔서
정말 감사합니다.
선생님 덕분에 한국말을 재미있게
공부했습니다.
앞으로도 열심히 공부하겠습니다.
선생님, 내년에도 건강하시기 바랍
니다.
안녕히 계십시오.

2007년 12월 24일
이사벨 올림

새해 복 많이 받으세요.
HAPPY NEW YEAR

1) 무슨 카드입니까?

　① 크리스마스 카드　　　② 연하장　　　③ 초대장

2) 이 사람은 선생님에게 왜 감사하게 생각합니까?

3. Write a card to your classmate or your teacher. Choose between a birthday card, a Christmas card, and a New Year's Day card.

3 과제 3 (Task 3)

1. Think what would likely be written on an invitation card for a New Year's Eve party.

2. Mr. Lee received an invitation from his company today. Read it carefully and answer the questions.

송년 모임 안내

안녕하세요.
벌써 한 해가 다 지나갔습니다.
올해도 열심히 일해 주셔서 감사합니다.
우리 회사의 송년 모임이 아래와 같이 있습니다.
꼭 참석하시기 바랍니다.
감사합니다.

- 일   시: 2007년 12월 22일 오후 6시
- 장   소: 서울호텔 3층 한식당
- 회   비: 없음

1) 무슨 모임을 알리는 편지입니까?

2) 모임이 언제 있습니까?

3) 모임이 어디에서 있습니까?

3. There's going to be a class party after this term. Decide when and where the party will take place and what you are going to do with your classmates. Then write an invitation card.

새 단어 New Words

일시 time, date and hour	모임 meeting
꼭 certainly, surely	−기 바라다 to hope to (do)
돕다 to help	실수 mistake
−에게 to	덕분에 thanks to
올해 this year	무척 very
행복하다 to be happy	지점 branch office
근무하다 to work	달 month
동안 for, during	대단히 very
다시 again	한 번 once
연락하다 to get in touch with	건강하다 to be healthy
안녕히 계십시오. Good-bye.	결혼 marriage
새해 New Year	복 fortune, blessing
정말 really	앞으로(도) from now on
내년 next year	안내 guidance
벌써 already	해 year
지나가다 to pass	회비 membership fee
알리다 to notify	

자기 평가 Self-Assessment

Do you have a full understanding of what you have studied in this chapter? Assess your Korean on the scale of 1 to 3, with 3 being the best score. (Study more if necessary).

Assessment Item	Self-Assessment		
1. Did you learn appreciation/apology/ invitation-relevant vocabulary?	1	2	3
2. Did you learn how to express your wishes and reasons?	1	2	3
3. Can you understand what written in thank-you and invitation cards?	1	2	3

>>> 한국의 문화 (Korean Culture) : Korean traditional wedding

In Korea, marriage is considered an important event in one's life and for his/her whole family, and a wedding ceremony is an indispensable one for marriage. For traditional weddings, which had long given way to Western-style nuptials but are now gaining popularity, the groom wears the costume of an ancient court official complete with stiff embroidered belt and horsehair hat, and the bride, with red evil-repelling spots painted on her cheeks and forehead, wears the costume of an ancient lady of the court complete with bejewelled coronet. The ceremony usually begins with the groom presenting a goose, usually made of wood, to the bride's parents to indicate that, like the goose, he will be always faithful to his mate. And then they exchange cups of wine and bow to each other.

The wedding ceremony is followed by another ceremony called *pyebaek*. For this ceremony, the groom's parents are seated before a table of cooked chicken, jujubes, chestnuts and fruits. The bride and groom bow to them and offer them cups of wine, then the parents bless the couple by tossing jujubes into their laps as a wish that they bear many children. The bride then bows to other members of the groom's family.

>>> 들어가기 Introduction

1. 무슨 그림입니까?
2. 여러분은 최근에 어디를 여행했습니까?

>>> **어휘** Vocabulary

Let's study travel-relevant vocabulary.

1 여행 (Traveling)

여행 travel

여행 계획 traveling plans

예약하다 to reserve

표를 사다 to buy a ticket

(1)박 (2)일 (2) days and (1) night

구경하다 to sightsee

지도 map

여행사 travel agency

여행 일정 travel itinerary

예매하다 to purchase in advance

출발하다 to depart

도착하다 to arrive

걸리다 to take (time)

2 관광 (Touring)

관광하다 to make a tour

관광객 tourist

관광 안내서 tourist guidebook

호수 lake

관광지 tourist site

관광버스 sightseeing bus

강 river

폭포 falls

>>> **문장 읽기** Reading Sentences

Let's study the three constructions: (1) a form −(으)ㄴ which modifies nouns to express past events; (2) −기 전에 which is used when the event in the second clause occurs before the one in the first clause; (3) −(으)려고 하다 which expresses an intention.

1. -(으)ㄴ

1) 지난 여름에 여행한 곳이 제주도입니다.

> Jejudo Island is the place I traveled last summer.

2) 지금까지 배운 단어를 다 외웁니다.

3) 이것이 어제 찍은 사진입니다.

2. -기 전에

1) 여행하기 전에 호텔을 예약했습니다.

> I reserved a hotel room before traveling.

2) 한국에 오기 전에 회사에서 일했습니다.

3) 수영하기 전에 준비운동을 합니다.

3. -(으)려고 하다

1) 오늘 오후에 책을 읽으려고 합니다.

> I'm going to read a book this afternoon.

2) 이번 주말에 친구와 같이 제주도에 가려고 합니다.

3) 대학교를 졸업하면 회사에서 일하려고 합니다.

연습 (Practice)

1. Choose a proper answer to complete the sentences.

1) 어제 이곳에 (① 오시는, ② 오신) 분이 누구입니까?

2) 지난 주말에 (① 읽는, ② 읽은) 책이 참 재미있었습니다.

3) 지금 (① 다니는, ② 다닌) 회사가 여의도에 있습니다.

2. The events below are what I did during my last trip. They are placed in order. Read descriptions 1), 2) and 3) and put ○ if right and × if wrong.

비행기표와 호텔 예약 → 출발 → 호텔 도착 → 1시간쯤 수영 →
시내 구경 → 저녁 식사 → 쇼핑

1) 출발하기 전에 호텔을 예약했습니다. (   )

2) 수영하기 전에 시내를 구경했습니다. (   )

3) 쇼핑하기 전에 저녁을 먹었습니다.   (   )

3. Choose an appropriate answer for the blanks.

1) _____ 방학이 되면 여행을 가려고 합니다.

   ① 벌써 방학이 끝났습니다.

   ② 다음 주부터 방학입니다.

   ③ 저는 여행을 안 좋아합니다.

2) _____ 오후에 백화점에 가려고 합니다.

   ① 백화점에 가고 싶지 않습니다.

   ② 오늘부터 백화점이 세일입니다.

   ③ 오전에 백화점에서 물건을 샀습니다.

3) _____ 고향에 돌아가기 전에 파티를 하려고 합니다.

   ① 친구가 어제 고향에 돌아갔습니다.

   ② 친구가 다음 주에 고향에 돌아갑니다.

   ③ 친구가 고향에 안 돌아갑니다.

4. Choose a sentence that has right use of −기 전에.

1) ① 예약을 하기 전에 여행을 하려고 합니다.   (   )

   ② 여행을 하기 전에 예약을 하려고 합니다.   (   )

2) ① 선생님 댁을 방문하기 전에 전화를 하려고 합니다. (   )

   ② 전화를 하기 전에 선생님 댁을 방문하려고 합니다. (   )

3) ① 저는 시험을 보기 전에 열심히 공부하려고 합니다. (   )

② 저는 열심히 공부하기 전에 시험을 보려고 합니다. (   )

>>> **과제** Task

1 과제 1 (Task 1)

1. The following gives information about several tourist attractions. Do you know some tourist attractions in Korea?

미국	나이아가라 폭포, 하와이 ……
프랑스	에펠탑, 세느강 ……
이탈리아	로마, 피렌체 ……
이집트	피라미드, 스핑크스 ……
한국	

2. The following describes a trip to Jejudo Island. Read carefully and put ○ in the parenthesis provided if sentences 1) ~ 5) cohere with the passage right and × if wrong.

나는 지난주에 제주도를 여행했습니다. 서울에서 비행기로 한 시간쯤 걸렸습니다. 제주도는 한국에서 제일 유명한 관광지입니다. 구경하러 온 사람이 참 많았습니다. 나는 폭포와 바닷가를 구경하고 한라산에 올라갔습니다.

제주도에는 구경할 것도 많고 골프장도 여러 곳 있습니다. 그리고 좋은 호텔도 많습니다. 그래서 제주도에는 언제나 관광객이 많습니다.

1) 이 사람은 지난주에 제주도를 구경했습니다.　　　(　)

2) 제주도는 아주 유명합니다.　　　　　　　　　　(　)

3) 이 사람은 제주도에서 바닷가에 가지 않았습니다.　(　)

4) 제주도에는 골프장이 한 곳 있습니다.　　　　　　(　)

5) 제주도를 구경하러 오는 사람이 많습니다.　　　　(　)

3. What are famous tourist attractions in your country? Make a brief list of them, and then talk about them with your classmates.

2 과제 2 (Task 2)

1. Do you travel abroad often? What do you usually pack for a trip abroad?

2. The following is a notice from a travel agent. Read and answer the questions.

안녕하십니까?

서울 여행사가 준비한 중국 여행에 참가해 주셔서 감사합니다. 아래는 이번 여행 안내입니다. 잘 읽으시기 바랍니다. 그리고 더 알고 싶은 것이 있으면 저에게 전화하시기 바랍니다.

(1) 일정 – 출발: 7월 22일 오후 1시(KE841)
　　　　 – 도착: 7월 26일 오후 5시 40분(KE842)
(2) 모이는 시간: 7월 22일 오전 10시
(3) 모이는 장소: 인천공항 3번 게이트 앞

(주) 서울 여행사 영업2과장 김진수(722-7755) 드림

1) 여행을 가는 사람은 언제, 어디로 가야 합니까?

2) 질문이 있으면 어떻게 해야 합니까?

3. Do you have a place you would like to visit? Work in pairs (Student A: travel agent; Student B: customer). Switch roles after a role-playing.

3 과제 3 (Task 3)

1. You are going to travel. What makes you choose your destination? Rank the following items in the order of your preference. You can add anything else if you have more.

(가) 여행 비용   (나) 여행 코스

(다) 호텔과 식사   (라) 기타 _____

2. The following is an advertising leaflet for a trip. Read carefully and put ○ in the parenthesis provided if a statement on the right is correct and put × if wrong.

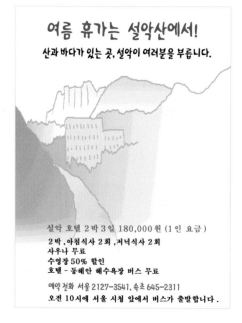

여름 휴가는 설악산에서!

산과 바다가 있는 곳, 설악이 여러분을 부릅니다.

설악 호텔 2박 3일 180,000원 (1인 요금)
2박 ,아침식사 2회 ,저녁식사 2회
사우나 무료
수영장 50% 할인
호텔 - 동해안 해수욕장 버스 무료

예약 전화 서울 2127-3541, 속초 645-2311
오전 10시에 서울 시청 앞에서 버스가 출발합니다.

1) 1일에 180,000원입니다. (   )
2) 호텔에서 점심을 무료로 먹을 수 있습니다.   (   )
3) 사우나와 수영장을 무료로 이용할 수 있습니다.   (   )
4) 호텔에서 동해안 해수욕장까지 가는 버스를 무료로 이용할 수 있습니다.   (   )
5) 서울 시청 앞에 가면 설악 호텔에 가는 버스를 탈 수 있습니다. (   )

3. The following are tour packages offered by Daehan Travel Agency. If you are to choose one, what would you choose?

1)
제주도
2박 3일
₩255,000
특급 호텔
아침 식사 무료
골프장 1회 이용

2)
하와이
4박 5일
₩880,000
특급 호텔
수상스키, 윈드
서핑 3회 강습

3)
캐나다
7박 8일
₩1,950,000
밴쿠버에서
나이아가라까지
특급 호텔

새 단어 New Words

여행 travel
-(으)ㄴ *past-tense noun-modifying form*
외우다 to memorize
준비 운동 warm-up exercise
시내 downtown
고향 hometown
시험을 보다 to take a test
한라산 Hallasan (Mt.)
여러 several, many
알다 to know
모이다 to come together
영업 business
드림 from, Yours sincerely
비용 expense
휴가 holiday
인 persons, people (counter)
사우나 sauna
해수욕장 swimming beach, beach resort
특급 호텔 premium hotel
회 times, occasion when one does sth or when sth happens
하와이 Hawaii
강습 lesson
나이아가라 폭포 Niagara Falls

최근 lately
곳 place
-기 전에 before (do)ing
-(으)려고 하다 be willing to (do), intend to (do)
끝나다 to end
방문하다 to visit
비행기 airplane
골프장 golf course
준비하다 to prepare
일정 itinerary
게이트 gate
과장 section chief
질문 question
코스 course
부르다 to call
요금 fee, charge
무료 free (of charge)
속초 Sokcho (city name)
이용 use
수상스키 water ski
밴쿠버 Vancouver

Do you have a full understanding of what you have studied in this chapter? Assess your Korean on the scale of 1 to 3, with 3 being the best score. (Study more if necessary).

Assessment Item	Self-Assessment		
1. Do you understand traveling-relevant vocabulary?	1	2	3
2. Can you read and understand the sentences concerned with two constructions: one expressing one's intention and the other indicating a sequence of two events?	1	2	3
3. Can you understand writings about travel experiences and tour guidance?	1	2	3
4. Can you understand the main points of a travel brochure?	1	2	3

>>> 한국의 문화 (Korean Culture) : Famous tourist sites in Korea

(1) 서울(Seoul) : The capital of Korea; the center of politics, economics, culture and education in Korea; the capital of the kingdom of Joseon where you can find lots of historical buildings

(2) 제주도(Jejudo Island) : One of the most famous tourist destinations; The island is full of tourist attractions, including best hotels, golf courses and entertainment complexes.

(3) 설악산(Seoraksan (Mt.)) : A popular mountain located at Gangwondo province; This mountain is especially famous for its colorful view in fall and snow in winter. You can also visit the east coast while sightseeing Seoraksan Mt.

(4) 경주(Gyeongju) : The capital of the kingdom of Silla; It has lots of historic areas and good hotels as well. You can visit gorgeous Buddhist temples.

(5) 공주와 부여(Gongju and Buyeo) : The capitals of the kingdom of Baekje; Visiting
　　Yuseong, a spa town, and Gyeryongsan (Mt.) nearby will make the trip even better.

School Life

학교생활

To understand writings describing school life.

- ● **VOCABULARY** : Class and subjects, School facilities
- ● **GRAMMAR** : −의, −기 때문이다, −(으)면서
- ● **Korean Culture** : Korean educational system

>>> **들어가기** Introduction

1. 무슨 수업입니까?

2. 여러분은 어떤 수업을 좋아합니까?

어휘 Vocabulary

Let's study main subjects at university.

1 수업과 과목 (Class and subjects)

수업 class	강의 lecture
방학 vacation	과목 subject
전공(하다) (to) major (in)	문학 literature
사회 sociology	과학 science
문화 culture	역사 history
정치(학) politics	경제(학) economics
철학 philosophy	예술 art

2 학교 시설 (School facilities)

교실/강의실 classroom	사무실 office
도서관 library	강당 auditorium
학생회관 student center	기숙사 dormitory
체육관 gym	운동장 playground, field

>>> **문장 읽기** Reading Sentences

Let's study three grammatical items: (1) the particle −의 which indicates the possession; (2) a pattern −기 때문이다 which shows a casual relationship; (3) a pattern −(으)면서 which indicates that two actions take place at the same time.

1. -의

1) 김 선생님의 가방이 어느 것입니까? Which is Mr. Kim's bag?

2) 저는 한국의 역사를 많이 알고 싶습니다.

3) 저는 우리 회사의 분위기를 좋아합니다.

> ⊙ 언어 노트(Language Tip) : contraction and omission of -의
> 내, 제 and 네 are contracted forms in which -의 is united with 나, 저 and 너. In spoken Korean, -의 is often omitted.

2. -기 때문이다

1) 오늘은 친구를 만날 수 없습니다. 내일 시험을 보기 때문입니다.

       I can't meet my friend today because I have an exam tomorrow.

2) 지금 시장에 가려고 합니다. 오후에 손님이 오기 때문입니다.

3) 학생들이 김 선생님을 좋아합니다. 김 선생님이 열심히 가르치시기 때문입니다.

3. -(으)면서

1) 저는 신문을 읽으면서 친구를 기다렸습니다.

       I read a newspaper while I was waiting for my friend.

2) 우리는 저녁을 먹으면서 이야기를 했습니다.

3) 일요일에는 음악을 들으면서 쉽니다.

✎ 연습 (Practice)

1. Choose the correct particles to fill in the blanks.

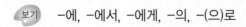

    보기   -에, -에서, -에게, -의, -(으)로

1) 이것은 김진수 씨(　　　) 가방입니다.

2) 저는 대학원(　　　) 역사를 공부하려고 합니다.

3) 친구(　　　) 전화를 걸었지만 받지 않았습니다.

4) 외국에서 살면 그 나라(　　　) 문화를 잘 알 수 있습니다.

5) 어제 시내(　　　) 있는 호텔(　　　) 친구를 만났습니다.

6) 형은 색종이(　　　) 만든 비행기를 동생(　　　) 주었습니다.

2. Math a sentence on the left to one on the right giving a corresponding reason.

1) 저는 호주 친구를
사귀려고 합니다. •　　　　　•　㉮　아침에 운동을
하기 때문입니다.

2) 김진수 씨는 아주
건강합니다. •　　　　　•　㉯　호주 문화를 알고
싶기 때문입니다.

3) 지금 공항에 갑니다. •　　　　　•　㉰　중국에서 친구가
오기 때문입니다.

3. Choose the sentences that have wrong use of −(으)면서.

1) ① 저는 커피를 마시면서 신문을 봅니다.

   ② 저는 언제나 자동차를 운전하면서 음악을 듣습니다.

   ③ 선생님은 서서 가르치지만 학생들은 앉으면서 공부합니다.

2) ① 먼저 여행사에 전화를 걸으면서 호텔을 예약하세요.

   ② 우리들은 언제나 식사하면서 이야기를 많이 합니다.

   ③ 저는 사전을 보면서 한국 신문을 읽습니다.

4. Choose the best answer.

1) 저는 친구를 (① 기다리고, ② 기다려서, ③ 기다리면서) 신문을 읽었습니다.

2) 오늘은 체육관에 (① 가고, ② 가서, ③ 가면서) 농구를 했습니다.

3) 어제 피곤했지만 편지를 (① 쓰고, ② 써서, ③ 쓰면서) 잤습니다.

4) 저는 부산까지 옆 사람과 (① 이야기하고, ② 이야기해서, ③ 이야기하면서) 갔습니다.

>>> **과제** Task

1 과제 1 (Task 1)

1. What subjects do you take at school?

2. The following describes a foreign student studying at a universty in Seoul. Read and answer the questions.

저는 미국에서 온 유학생입니다. 지금 서울에 있는 대학교에 다닙니다. 미국에서는 문학을 전공했습니다. 지금 학교에서 한국어, 한국의 역사, 한국의 문화를 배웁니다. 제가 제일 좋아하는 과목은 한국 문화입니다. ㉠이 과목을 공부하면 한국 사람들의 생활을 잘 알 수 있기 때문입니다.

제 방에는 한국 문화에 대한 비디오테이프가 많습니다. 저는 시간이 있으면 언제나 이 비디오테이프를 봅니다.

1) 위의 내용과 맞는 것을 고르십시오.

① 이 사람은 지금 미국에 있습니다.

② 이 사람은 지금 한국어와 한국 사회를 공부합니다.

③ 이 사람 방에는 비디오테이프가 많습니다.

2) '㉠ 이 과목'은 무엇입니까?

3. What is your favorite subject? What is your least favorite subject? Why?

2 과제 2 (Task 2)

1. Describe a typical day for students in your country.

2. The following describes a student's school life. Read and answer the questions.

저는 한국말을 배우러 온 학생입니다. 오전에는 교실에서 한국말을 공부합니다. 오후에는 도서관에 가서 숙제를 하고 책을 읽습니다. 그리고 가끔 체육관에서 운동을 합니다.

저는 기숙사에서 삽니다. 저녁을 먹은 후에는 언제나 1층에 있는 휴게실에 갑니다. 거기에서 차를 마시면서 텔레비전을 봅니다. 그리고 가끔 게시판에 있는 새 소식을 보고 친구들과 이야기를 합니다.

1) 위의 내용과 다른 것을 고르십시오.

① 이 사람은 한국말을 공부하는 학생입니다.
② 이 사람은 오전에 가끔 운동을 합니다.
③ 이 사람은 저녁 식사 후에 휴게실에 갑니다.

2) 이 사람은 휴게실에서 무엇을 합니까? 네 가지를 쓰십시오.

_____ , _____

_____ , _____

3. How do you spend your time at school? Make some brief notes and then speak to your friends.

3 과제 3 (Task 3)

1. Which of the following places do you go to most often? What do you usually do there?

(가)    (나)    (다)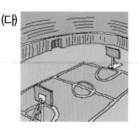

2. The following is a notice about the use of the school gym. Read and answer the questions.

체육관 이용 안내

◎ 이용 시간
  월요일~토요일: 오전 8시부터 오후 6시까지
  ※ 일요일은 문을 열지 않습니다.

◎ 주의 사항
  • 이용 시간을 꼭 지키십시오.
  • 입구에서 학생증을 보여 주십시오.
  • 체육관 안에서는 꼭 운동화를 신으십시오.

※ 공을 빌리고 싶은 학생은 사무실로 오십시오.

한국대학교 체육관 사무실 (전화: 2125-3478)

1) 언제 체육관을 이용할 수 없습니까?

   ① 수요일 오후 5시   ② 토요일 오전 10시   ③ 일요일 오전 11시

2) 체육관을 이용하고 싶습니다. 무엇이 필요합니까?

   ① 학생증   ② 학생증과 운동화   ③ 학생증과 운동화와 공

3. These are notices on a school bulletin board. Choose one of them and talk with your friends about it.

1)
아르바이트 구함

- 중앙 도서관
- 1일 4시간 근무
- 1시간 6,000원
- 연락처:
  739-3428

2)
한국어 회화 교실

- 월, 수, 금 1시간
- 한국 대학생과
  1:1로 이야기함
- 참가비 없음
- 연락처:
  2529-2749

3)
물건을 찾습니다.

- 작은 손가방
- 안에 여권과 학생
  증이 있습니다. 꼭
  연락 주십시오.
- 연락처:
  3232-5874

새 단어 New Words

학교생활 school life	분위기 atmosphere
−기 때문이다 because	−(으)면서 while -ing
기다리다 to wait	대학원 graduate school
색종이 colored paper	사귀다 to make friends with
태권도 Taekwondo (Korean martial art of self-defense)	
운전하다 to drive	자동차 car
서다 to stand up	앉다 to sit down
먼저 first, ahead	전화를 걸다 to telephone
유학생 student studying abroad	비디오테이프 video tape
휴게실 lounge	가끔 sometimes
게시판 bulletin board	주의사항 matters to be attended to
새 소식 news	지키다 to keep
입구 entrance	운동화 sports shoes
신다 to put on (shoes)	공 ball
빌리다 to borrow	아르바이트 part-time job
구함 wanted	중앙 center
연락처 contact information	회화 conversation
참가비 participating fee	손가방 handbag
여권 passport	

Do you have a full understanding of what you have studied in this chapter? Assess your Korean on the scale of 1 to 3, with 3 being the best score. (Study more if necessary).

Assessment Item	Self-Assessment		
1. Do you understand class/subject/school facilities-relevant vocabulary?	1	2	3
2. Do you have a full understanding of three grammatical items: −의, −기 때문이다 and −(으)면서?	1	2	3
3. Can you read and understand writings related to school life?	1	2	3
4. Can you read and understand notices about using school facilities?	1	2	3

>>> 한국의 문화 (Korean Culture) : Korean education system

The Korean educational system has a single track 6-3-3-4 in order to ensure that every citizen can indiscriminately receive an elementary, secondary and tertiary education suited to their ability. The main track of the system includes six years of elementary school, three years of middle (i.e., junior high) school, three years of high school and for years of university (alternatively, two- or three-year junior college).

Many parents want more supplemental education for their children. That's why preschool education and private academies have increased. It is demanded to improve the school system.

16 | Hobby
취미

···**GOALS**

To understand writings or advertisements relevant to one's hobbies.

- VOCABULARY : Hobbies, Exercise, Frequency adverbs
- GRAMMAR : -는 것, -에, -(으)ㄹ 때
- Korean Culture : Korean movies

>>> **들어가기** Introduction

1. 이 사람들은 무엇을 하고 있습니까?
2. 여러분은 어떤 취미가 있습니까? 얼마나 자주 취미 생활을 합니까?

Let's study hobbies/sports-relevant expressions and frequency adverbs.

1 취미 (Hobbies)

즐기다 to enjoy	음악을 감상하다 to listen to music
사진을 찍다 to take a photo	피아노를 치다 to play the piano
그림을 그리다 to draw a picture	낚시를 하다 to go fishing
우표를 모으다 to collect stamps	자전거를 타다 to ride a bicycle

2 운동 (Exercise)

조깅하다 to jog	농구를 하다 to play basketball
축구를 하다 to play soccer	야구를 하다 to play baseball
테니스를 치다 to play tennis	골프를 치다 to play golf
스키를 타다 to ski	

3 빈도 부사 (Frequency adverbs)

항상/언제나 always	자주 often
가끔 sometimes	별로 (안) rarely
전혀 (안) never	

Let's study three grammatical items: (1) −는 것 which indicates the act of doing something; (2) −에 which means "per"; (3) −(으)ㄹ 때 used when two events overlap in time.

1. −는 것

1) 제 취미는 책을 읽는 것입니다. My hobby is reading books.
2) 아침마다 운동하는 것을 좋아합니다.
3) 한국 사람과 이야기하는 것은 재미있습니다.

2. −에

1) 하루에 두 시간씩 한국어를 공부합니다.

                     I study Korean for two hours a day.
2) 부모님에게 일주일에 한 번씩 전화합니다.
2) 이 사과는 네 개에 2,000원입니다.

3. −(으)ㄹ 때

1) 저녁을 먹을 때 전화가 왔습니다.

                     The telephone rang when I was having dinner.
2) 여행을 갈 때는 사진기를 준비하세요.
3) 저는 시간이 있을 때 음악을 자주 듣습니다.

✏️ 연습 (Practice)

1. Complete the sentences with the correct answer.

1) 수진 씨의 취미는 _____입니다.

  ① 우표   ② 우표를 모으는   ③ 우표를 모으는 것

2) 어제 영화를 보았습니다. 그 _____은/는 아주 재미있었습니다.

  ① 영화   ② 영화를 보는 것   ③ 영화를 봅니다

3) 저는 친구들과 _____을/를 좋아합니다.

  ① 여행   ② 여행을 하는 것   ③ 여행을 합니다

2. Complete the sentences with the correct answer.

> 보기   하루에, 일 년에, 한 시간에, 한 개에, 한 사람에

1) 저는 매일 운동합니다. _____ 한 시간씩 합니다.

2) 겨울에는 과일이 비쌉니다. 사과가 _____ 1,000원씩입니다.

3) 오늘 친구들과 점심을 먹었습니다. 그리고 _____ 5,000원씩 돈을 냈습니다. 나도 5,000원을 냈습니다.

3. Complete the sentences with the correct answer.

1) 시간이 _____ 무엇을 합니까?

  ① 많고   ② 많을 때   ③ 많지만

2) _____ 전화가 왔습니다. 그래서 전화를 못 받았습니다.

  ① 샤워하고   ② 샤워할 때   ③ 샤워하면서

3) 시간이 없어서 옷을 _____ 빵을 먹었습니다.

  ① 입기 전에   ② 입을 때   ③ 입으면서

1 과제 1 (Task 1)

1. What hobbies do you have? How would you describe your hobbies to others?

2. The following is a paragraph about one's hobby. Read and answer the questions.

> 제 취미는 사진을 찍는 것입니다. 저는 고등학교 때부터 사진을 찍기 시작했습니다. 대학교 때는 자주 사진을 찍으러 다녔습니다. 지금은 한 달에 한 번쯤 사진을 찍으러 갑니다. 주로 가까운 산과 바다로 갑니다. 지난 주에도 눈이 온 산을 찍으러 갔습니다.
>
> 사진을 찍는 것은 별로 어렵지 않습니다. 누구나 쉽게 배울 수 있습니다. 시간과 돈도 많이 들지 않아서 좋습니다.

1) 이 사람은 요즘 얼마나 자주 사진을 찍습니까?

2) 위의 내용과 <u>다른</u> 것을 고르십시오.

① 대학교 때 자주 사진을 찍으러 다녔습니다.

② 사진을 찍는 것은 배우기가 어렵습니다.

③ 이 사람은 산과 바다의 경치를 주로 찍습니다.

3. Find out what your classmates' hobbies are. What is the most popular hobby in your class?

2 과제 2 (Task 2)

1. What is your hobby? Why do you enjoy it?

☐ 즐겁게 살고 싶어서   ☐ 시간을 보내고 싶어서

☐ 친구를 사귀고 싶어서   ☐ 건강해지고 싶어서

☐ 경험을 쌓고 싶어서   ☐ 재미있어서

2. The following is an article about a hobby. Read and answer the questions.

(가) 사람들은 누구나 취미를 가지고 있습니다. 그러나 사람들의 취미는 모두 다릅니다. 시간이 날 때 집에서 책을 읽는 사람도 있고, 산과 바다로 여행을 떠나는 사람도 있습니다.

(나) 그러나 취미 생활을 자주 못 하는 사람도 많습니다. 그것은 보통 시간이 없기 때문입니다. 특히 직장 생활을 하는 사람 중에는 바빠서 취미 생활을 전혀 못 하는 사람도 있습니다.

(다) 취미 생활을 하면 ㉠_____. 그래서 사람들에게 취미 생활은 필요합니다.

1) 사람들의 여러 가지 취미를 설명한 문단(paragraph)은 어느 것입니까?

① (가)   ② (나)   ③ (다)

2) 사람들이 취미 생활을 못 하는 이유가 무엇입니까?

3) ㉠에 알맞은 말은 무엇입니까?

① 일을 많이 할 수 있습니다

② 즐겁게 생활할 수 있습니다

③ 바쁘지 않습니다

3. Find out what your friends' hobbies are. Ask why your friends enjoy the hobbies. Make a note of it and present your findings to your classmates.

이 름	취 미	얼마나 자주 즐깁니까?	자주 즐기는 / 즐기지 못하는 이유
제임스	등산	한 달에 두 번	등산하면 기분이 좋아서 자주 갑니다.

3 과제 3 (Task 3)

1. What would you like to do in your spare time? Choose a new hobby in the following list.

수상스키, 스쿠버다이빙, 등산, 스키, 골프, 테니스, 악기 연주 등

• What would you need to do to make it your new hobby?

2. This is an advertisement for water-ski lessons. Read and answer the questions.

1) 누구에게 광고하는 것입니까?

    ① 수상스키를 배우고 싶은 사람들

    ② 수상스키를 잘 타는 사람들

    ③ 청평 호수 근처에 사는 사람들

2) 수상스키를 타러 갈 때 무엇이 필요합니까?

3) 이 모임에 가고 싶습니다. 어떻게 하면 됩니까?

    ① 청평에서 기다립니다.

    ② 서울 스포츠에 전화합니다.

    ③ 수상스키를 두 시간 정도 연습합니다.

3. Write a notice for creating a club in which people who have the same hobby can get together. Then present the notice to your class.

새 단어 New Words

취미 생활 hobby, enjoyment of one's hobby	–는 것 (do)ing, to (do)
–에 per	(일)주일 (a) week
–(으)ㄹ 때 when -ing	사진기 camera
매일 everyday	돈 money
내다 to pay	입다 to wear
시작하다 to begin	가깝다 to be close
누구나 anyone	쉽다 to be easy
필요하다 to be necessary	경험을 쌓다 to enrich one's experience
시간이 나다 to have free time	떠나다 to leave
특히 especially	직장 생활 career life
못하다 cannot do	이유 cause, reason
스쿠버다이빙 scuba diving	악기 연주 playing of musical instruments
광고 advertisement	신나게 elatedly
달리다 to run	청평 Cheongpyeong
호수 lake	연습하다 to practice

>>> 자기 평가 Self-Assessment

Do you have a full understanding of what you have studied in this chapter? Assess your Korean on the scale of 1 to 3, with 3 being the best score. (Study more if necessary).

Assessment Item	Self-Assessment		
1. Do you understand hobbies/sport-relevant expressions and frequency adverbs?	1	2	3
2. Do you have a full understanding of the three grammatical items: –는 것, –에 and –(으)ㄹ 때?	1	2	3
3. Can you read and understand writing about hobbies?	1	2	3
4. Can you get useful information in notices that deal with interesting hobby lessons?	1	2	3

>>> 한국의 문화 (Korean Culture) : Korean movies

Since the early 1980s, the Korean film industry has gained some vitality thanks to a few talented young directors. Their efforts succeeded and their movies had earned recognition at various international festivals including Cannes, Chicago, Berlin and others. This trend continued in the 1990s with more and more Korean directors producing movies that have moved the hearts of audiences based on unique Korean experiences and sentiments.

Public interest in films has been mounting and several international film festivals have been staged by provincial governments or private organizations in Korea. They include the Busan International Film Festival, the Bucheon International Fantastic Film Festival, and the Jeonju International Film Festival.

Health
건강

To understand descriptive writings and advertisements concering one's health.

● VOCABULARY : Body, Health
● GRAMMAR : −을/를 위해서, −아/어/여야 하다, −았/었/였을 때
● Korean Culture : Kimchi, a healthy, fermented food

>>> **들어가기** Introduction

1. 이 사람들은 무엇을 합니까? 왜 합니까?
2. 여러분은 건강을 위해서 무엇을 합니까?

Let's study body/health-relevant expressions.

1 몸 (Body)

몸 body	머리 head
얼굴 face	눈 eye
코 nose	귀 ear
입 mouth	목 neck
어깨 shoulder	팔 arm
등 back	허리 waist
배 stomach, belly	다리 leg
손 hand	발 foot

2 건강 (Health)

건강 health	건강하다 to be healthy
아프다 to be sick	병이 나다 to get sick
병이 낫다 to get well	감기에 걸리다 to catch a cold
열이 나다 to have a fever	콧물이 나다 to have a runny nose
기침을 하다 to cough	진찰을 받다 to see a doctor
주사를 맞다 to have an injection	약을 먹다 to take medicine

Let's study three patterns: (1) −을/를 위해서 meaning "for someone or something"; (2) −아/어/여야 하다 expressing obligation or duty; (3) −았/었/였을 때 indicating the time when an action is completed.

1. −을/를 위해서

1) 건강을 위해서 매일 운동을 합니다. I exercise everyday to be healthy.
2) 부모님을 위해서 아침마다 야채 주스를 만듭니다.
3) 아이들을 위해서 음식을 많이 준비했습니다.

2. −아/어/여야 하다

1) 피곤할 때는 쉬어야 합니다. You have to take a rest when you are tired.
2) 머리가 많이 아프면 약을 먹어야 합니다.
3) 다음 주에 시험이 있어서 공부해야 합니다.

3. −았/었/였을 때

1) 점심 식사가 끝났을 때 친구가 왔습니다.

When I finished lunch, my friend came.

2) 감기에 걸렸을 때는 푹 쉬세요.
3) 다리를 다쳤을 때 친구가 도와주었습니다.

🖊 연습 (Practice)

1. Fill in the blanks with the appropriate word.

> 보기   건강, 나라, 공부, 친구, 부모님

1) 저는 _____을/를 위해서 언제나 일찍 자고 일찍 일어납니다.

2) 지난 달에 _____을/를 위해서 생신 선물을 보내 드렸습니다.

3) 경찰관이나 군인들은 _____을/를 위해서 일합니다.

2. Complete the sentences with the correct answer.

1) 친구들과 같이 _____. 그래서 호텔을 예약해야 합니다.

   ① 여행을 갔습니다   ② 여행을 갈 것입니다

   ③ 여행을 갈 수 있습니다

2) _____ 는 푹 쉬어야 합니다.

   ① 재미있을 때   ② 피곤할 때   ③ 일이 많을 때

3) _____ 진찰을 받고 약을 먹어야 합니다.

   ① 병이 나면   ② 기분이 나쁘면   ③ 건강하면

3. Fill in the blanks with the appropriate answer.

1) 지난주에 수진 씨를 _____ 같이 차를 마시고 이야기를 많이 했습니다.

   ① 만날 때   ② 만났을 때

2) 다른 사람의 집에 _____ 선물을 준비하는 것이 좋습니다.

   ① 갈 때   ② 갔을 때

3) _____는 따뜻한 물을 많이 드세요.

    ① 감기에 걸릴 때   ② 감기에 걸렸을 때

>>> 과제 Task

1 과제 1 (Task 1)

1. Do you often catch a cold? When you have a cold, what would you do? Talk about the health tips you know.

2. The following text is the story about James' sickness. Read and answer the questions.

> 어젯밤부터 머리가 아프고 열이 났습니다. 감기에 걸린 것 같았습니다. 아침에 병원에 가서 진찰을 받고 주사를 맞았습니다. 그리고 집에 와서 약을 먹고 푹 잤습니다.
>
> 감기에 걸렸을 때는 비타민 C가 많은 음식을 먹고 푹 쉬어야 합니다. 그래서 나는 과일을 먹고 잠을 많이 잤습니다. 건강하지 않으면 감기에 걸리기가 쉽습니다. 그래서 나는 앞으로 건강을 위해서 매일 운동을 조금씩 하려고 합니다.

1) 이 사람은 어디가, 어떻게 아픕니까?

2) 감기에 걸렸을 때 이 사람은 어떻게 했습니까? 두 가지를 고르십시오.

    ① 운동을 했습니다.   ② 푹 쉬었습니다.

    ③ 과일을 많이 먹었습니다.   ④ 음식을 많이 먹었습니다.

3. What would you do in the following situations? Share your ideas with your friends.

- 피곤할 때
- 머리가 아플 때
- 목이 아플 때
- 기침을 할 때

2 과제 2 (Task 2)

1. What do people usually do to stay healthy?

2. The following describes how James keeps his health. Read and answer the questions.

여러분은 건강을 위해서 무엇을 합니까? 매일 운동을 합니까? 저는 건강을 위해서 여러 가지 일을 합니다.

첫째, 가까운 거리는 차를 타지 않습니다. 그리고 5층 이하의 건물에서는 계단을 이용하고 아침마다 30분씩 조깅을 합니다. 둘째, 아침, 점심, 저녁을 꼭 먹습니다. 그리고 고기보다 야채와 과일을 많이 먹습니다. 맵고 짠 음식은 별로 먹지 않습니다. 셋째, 주말에는 취미 생활을 하면서 즐겁게 보냅니다. 저는 주로 등산과 여행을 합니다. 즐겁게 사는 것은 건강을 위해서 제일 중요합니다.

1) 이 사람이 건강을 위해서 하는 것을 모두 고르십시오.

① 운동을 합니다.
② 가까운 거리는 걸어서 갑니다.
③ 밥을 조금 먹습니다.
④ 고기와 야채를 많이 먹습니다.
⑤ 주말에는 푹 쉽니다.

3. What's your secret of good health? Take notes in the chart below and present your ideas to your friends.

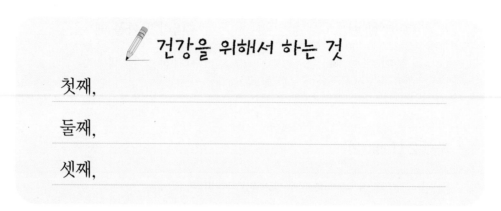

건강을 위해서 하는 것

첫째,

둘째,

셋째,

3 과제 3 (Task 3)

1. What is the most memorable advertisement that you received on TV or in a magazine? What was it for? Describe the advertisement.

2. The following are pictures and descriptions from advertisements. Read and match a picture to its corresponding description.

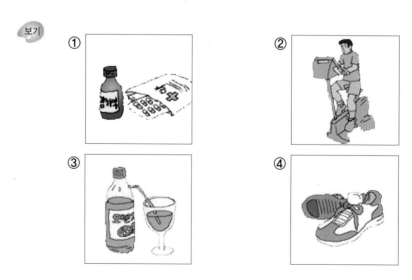

1) 비타민 C를 한 잔에! 건강을 마십시다.   (   )

2) 하루에 한 알! 기침, 콧물 안녕!   (   )

3) 건강한 생활은 발에서부터! 발이 가볍고 편합니다.   (   )

4) 하루 20분 운동, 20년을 더 살 수 있습니다. 사무실에서도,
   집에서도 소리 없이 달립니다.   (   )

3. Refer to the advertising descriptions above and provide new advertising descriptions for three pieces of merchandise below. Then present them to your friends.

- 운동기구(러닝머신)
- 포도 주스
- 감기약

새 단어 New Words

운동과 건강 sports and health	-을/를 위해서 for
-아/어/여야 하다 must, have to (do)	-았/었/였을 때 when -ed
푹 deeply	다치다 to get hurt
나라 country	경찰관 police officer
군인 soldier	차 tea
-ㄴ/은 것 같다 it seems that	비타민 vitamin
잠을 자다 to sleep	조금씩 little by little
첫째 first	둘째 second
셋째 third	거리 distance
이하 below, under	계단 stairs
-씩 by	조깅 jogging
중요하다 to be important	(한) 알 (one) tablet
안녕 good-bye	가볍다 to be light
소리 sound	

Do you have a full understanding of what you have studied in this chapter? Assess your Korean on the scale of 1 to 3, with 3 being the best score. (Study more if necessary).

Assessment Item	Self-Assessment		
1. Do you understand body/health-relevant expressions?	1	2	3
2. Did you learn proper use of −을/를 위해서, −아/어/여야 하다 and −았/었/였을 때?	1	2	3
3. Can you read and understand writings about health?	1	2	3
4. Can you understand advertising descriptions?	1	2	3

■ ■

>>> 한국의 문화 (Korean Culture) : Kimchi, a healthy, fermented food

Kimchi represents Korea's best-known. Koreans serve kimchi at almost every meal. During the 1988 Summer Olympic Games, thousands of foreigners were introduced to it for the first time. Despite a reputation for being spicy, many people like it and find themselves missing it after returning to their home country.

Kimchi is basically a salted, pickled vegetable dish, often presented as a basic side dish for any Korean meal. The fermentation of different vegetables, complemented by salted fish and other seasonings, give it a unique flavor. The hot and spicy taste of kimchi stimulates one's appetite. It is also a nutritious dish, providing vitamins, lactic acid, and minerals. Kimchi can also be preserved for a long time.

Red pepper was introduced to the making of kimchi in the 17th century. This introduction of red pepper in the pickling process was a major innovation to the Korean food culture. By using red pepper with vegetables and fish, a unique method of food preservation was borne, thus leading to the adoption of kimchi as a Korean staple. There are currently many kinds of kimchi with different tastes. Here are examples of the most basic types of kimchi.

baechu kimchi   kkakdugi   nabak kimchi

Letter

편지

To read and understand letters by learning relevant expressions.

- VOCABULARY : Letter
- GRAMMAR : Informal style, −(으)ㄹ, −아/어/여 주다
- Korean Culture : Korean names

>>> **들어가기** Introduction

1. 이것은 누가 누구에게 보내는 편지입니까?
2. 여러분은 편지를 자주 씁니까? 누구에게 씁니까?

Let's study letter-relevant expressions.

1 편지 1 (Letter)

편지 letter	엽서 postcard
편지지 letter paper	편지 봉투 envelope
주소 address	우펴버호 zip code
우표 stamp	소포 parcel

2 편지 2 (Letter)

편지를 보내다 to send a letter	편지를 받다 to receive a letter
우표를 붙이다 to put a stamp on	
봉투에 넣다 to put in an envelope	
답장을 쓰다 to write a reply	이메일을 보내다 to send an e-mail
귀하 dear	올림 yours sincerely

>>> **문장 읽기** Reading Sentences

Let's study (1) the writing style usually employed in informal situations, (2) the future-tense marker −(으)ㄹ, and (3) the benefactive expression −아/어/여 주다 indicating to do something for someone.

1. 비격식체 (Informal style)

1) 어제 친구에게 편지를 썼어요. I wrote a letter to my friend yesterday.

2) 요즘 어떻게 지내요?

3) 내일 시간이 있으면 우리집에 오세요.

2. -(으)ㄹ

1) 내일은 회사에서 할 일이 많습니다.

                         I have a lot of work to do at the office tomorrow.

2) 다음 주에 만날 사람이 누구입니까?

3) 다음에 백화점에서 세일을 하면 살 물건이 많아요.

3. -아/어/여 주다

1) 문 좀 닫아 주십시오. Please close the door.

2) 여기에 이름을 써 주십시오.

3) 선생님이 한국 친구를 소개해 주셨어요.

연습 (Practice)

1. Change the following sentences using the informal style.

1) 선생님, 안녕하십니까?

2) 어제 오래간만에 친구에게 편지를 썼습니다.

3) 누구나 편지를 받으면 기분이 좋습니다.

4) 요즘 어떻게 지냅니까?

5) 저에게 중국말을 가르쳐 주십시오.

6) 여기에 앉으십시오.

2. Choose the correct answer.

1) 동대문 시장에는 (① 싼, ② 싸는, ③ 쌀) 물건이 많습니다.

2) 영수 씨, 시간 있어요? (① 한, ② 하는, ③ 할) 이야기가 많아요.

3) 지금 같이 (① 산, ② 사는, ③ 살) 사람이 누구예요?

4) 저는 (① 시원한, ② 시원하는, ③ 시원할) 가을을 제일 좋아해요.

5) 지금 체육관에 가는데, 같이 (① 간, ② 가는, ③ 갈) 사람 있어요?

3. Choose the correct answer.

1) 어제 어머니가 저에게 옷을 (① 샀습니다, ② 사 주셨습니다).

2) 저는 요즘 건강이 좋지 않습니다. 그래서 아침에 한 시간씩 (① 운동합니다, ② 운동해 줍니다).

3) 아이들이 빵을 좋아합니다. 저는 아이들에게 빵을 (① 만듭니다, ② 만들어 줍니다).

4) 한국 친구와 같이 한국말을 연습하고 싶습니다. 저에게 한국 친구를 (① 소개하십시오, ② 소개해 주십시오).

5) 형은 고등학교에서 영어를 가르치고, 저는 중학교에서 영어를 (① 가르칩니다, ② 가르쳐 줍니다).

>>> **과제** Task

1 과제 1 (Task 1)

1. Are you well aware of essential elements that a letter should keep? What are they?

2. Kane sent a following letter to a friend of his in Korea. Read and answer the questions.

보고 싶은 수진 씨에게

그동안 잘 지냈어요? 오랫동안 편지를 못 써서 미안해요. 저는 지난달에 시티즌 은행에 취직했어요. 요즘은 일을 배워요. 그 은행은 서울에 지점이 있어요. 그래서 다음에 서울에서 일할 기회도 있을 거예요.

수진 씨는 요즘 어떻게 지내요? 이 편지 받으면 답장 주세요. 그리고 친구들에게도 안부 전해 주세요.

그럼 잘 지내세요.

2007년 2월 21일 LA에서 친구 케인

1) 누가 누구에게 썼습니까?

2) 위의 내용과 다른 것을 고르십시오.

　① 케인 씨는 지난달에 취직했습니다.　② 케인 씨는 지금 서울에서 일합니다.

　③ 케인 씨는 수진 씨의 답장을 기다릴 것입니다.

3. Suppose you are Susan, and write a congratulatory reply to Kane's employment.

2 과제 2 (Task 2)

1. Why do people write a postcard?

2. Read a following postcard and answer the questions.

POSTCARD

수진 씨에게

그동안 잘 지내셨어요? 저는 지금 마이애미에 있어요. 회의가 있어서 어제 사람들과 같이 이곳에 왔어요. 마이애미는 정말 아름다워요. 바다도 아름답고 하늘도 아름다워요. 내일 회의가 끝나면 바닷가에서 수영을 할 거예요. 그리고 모레 오전에는 박물관을 구경하고 오후에 LA로 돌아갈 거예요. 수진 씨도 다음에 마이애미에 꼭 오세요. 정말 아름다운 곳이에요. 그럼 잘 지내세요.

2007년 8월 19일
마이애미에서 케인

TO : 121-200
서울시 마포구 동교동 310-200
김수진 귀하
Republic of Korea

From : 마이애미에서 케인

1) 케인 씨는 왜 마이애미에 있습니까?

2) 맞는 것을 고르십시오.

　① 케인 씨는 혼자 마이애미에 왔습니다.

　② 케인 씨는 오늘 마이애미에서 수영을 했습니다.

　③ 케인 씨는 모레 오후에 LA로 돌아갈 것입니다.

3. What would you write in a postcard to send during your trip? Discuss its contents with your friends.

3 과제 3 (Task 3)

1. These days, we receive advertisements through e-mails as well as regular letters. How often do you receive such adverisements? What things do they usually advertise?

2. The following is an e-mail a department store sent to a customer. Read and answer the questions.

보낸 사람 : 한일백화점〈research@hanil.net〉
받는 사람 : 이민정〈lmj@hanmial.net〉
제목 : 한일백화점 설문 조사

안녕하십니까? 한일백화점입니다. 그동안 저희 백화점을 이용해 주셔서 감사합니다.

저희 백화점은 손님 여러분에게 좀 더 좋은 서비스를 드리려고 합니다. 그래서 여러분의 의견을 들으려고 합니다. 바쁘시겠지만 아래의 질문에 대답해 주시면 감사하겠습니다. 대답을 보내 주신 분께는 작은 선물을 드립니다.

◎ 손님 여러분께 드리는 질문 ◎

1. 언제부터 한일백화점을 이용하셨습니까?
(1) 5년 전부터   (2) 3년 전부터   (3) 1년 전부터
......

1) 누가 누구에게 보냈습니까?

① 한일백화점이 손님에게   ② 손님이 한일백화점에

2) 왜 이메일을 보냈습니까?

① 손님들의 의견을 듣고 싶어서   ② 손님들에게 선물을 주고 싶어서

3. Suppose you are a customer of 한일(Hanil) Department Store and reply to the following questionnaire.

◎ 손님 여러분께 드리는 질문 ◎

1. 왜 한일백화점을 이용하십니까?
(1) 집에서 가깝기 때문에   (   )
(2) 물건 값이 싸기 때문에   (   )
(3) 좋은 물건이 많기 때문에 (   )
(4) 직원이 친절하기 때문에 (   )
(5) 기타 (   )

⋮

6. 한일백화점에 바라는 것을 써 주십시오.

_____

_____

감사합니다.

새 단어 New Words

–(으)ㄹ *future-tense modifier*	–아/어/여 주다 to do (something for somebody)
닫다 to close	소개하다 to introduce
오래간만에 after a long time	동대문시장 Dongdaemun sijiang (market)
오랫동안 for a long time	못 cannot
시티즌 은행 Citizen Bank	취직하다 to get a job
기회 opportunity	–(으)ㄹ 거예요 will, to be going to
답장 reply	안부 전하다 to give regards
그럼 well	마이애미 Miami
모레 the day after tomorrow	박물관 museum
혼자 alone	서비스 service
의견 opinion	대답하다 to answer
직원 employee	바라다 to hope

>>> **자기 평가** Self-Assessment

Do you have a full understanding of what you have studied in this chapter? Assess your Korean on the scale of 1 to 3, with 3 being the best score. (Study more if necessary).

Assessment Item	Self-Assessment		
1. Do you understand letter-relevant vocabulary?	1	2	3
2. Can you understand the informal writing style?	1	2	3
3. Can you read and understand personal and formal letters?	1	2	3

>>> 한국의 문화 (Korean Culture) : Korean names

Traditionally, Korean names almost invariably consist of three Chinese characters pronounced with three Korean syllables. The family name comes first while the remaining two characters form the given names. However, this old tradition is being changed these days. Of course, the majority still follows the traditional way, but more and more people give their children native Korean names that cannot usually be recorded in Chinese characters.

There are about 300 family names in Korea, but only a handful of them make up the vast majority of the population. Among the most common names are Kim, Lee, Park, An, Jang, Jo, Choi, Jeong, Han, Kang, Yoo and Yoon.

Korean women do not change their family name upon marriage. In Korea, if a married woman ways she is Mrs. Kim, it usually means that her father's surname is Kim.

●●● **GOALS**

To read and understand promise/appointment-relevant writings.

● **VOCABULARY :** Appointment/promise-relevant expressions, How to send
messages
● **GRAMMAR :** -기로 하다, -보다, -았/었/였으면 하다
● **Korean Culture :** Korean traditional paintings

>>> **들어가기** Introduction

1. 이 사람은 지금 무엇을 하고 있습니까?
2. 여러분은 약속을 잘 지키십니까?

Let's study appointment/promise-relevant expressions.

1 약속 관련 어휘 (Appointment / promise - relevant expressions)

약속 promise

(모임의) 약속 appointment

약속하다 to make an appointment/a promise

약속 시간 appointed time

약속 장소 appointed place

약속을 지키다 to keep an appointment/a promise

약속을 어기다 to break an appointment/a promise

연기하다 to postpone

취소하다 to cancel

시간/장소를 바꾸다 to change the time/place

시간을 늦추다 to delay

2 메시지를 보내는 방법 (How to send messages)

메모를 남기다 to leave a message

이메일을 보내다 to send an e-mail

문자 메시지를 보내다 to send a text message

음성 메시지를 남기다 to leave a voice message

Let's study (1) the pattern −기로 하다 meaning "plan/decide to," (2) the comparative particle −보다 meaning "(rather) than," and (3) the pattern −았/었/였으면 하다 expressing one's wish or desire.

1. −기로 하다

1) 저와 친구는 영화를 보기로 했습니다.

I decided to go to the movies with my friend.

2) 카메라는 친구가 준비하기로 했습니다.

3) 저는 오늘부터 아침에 운동을 하기로 했습니다.

2. −보다

1) 수잔 씨가 제임스 씨보다 한국말을 더 잘 합니다.

Susan speaks Korean better than James.

2) 오늘이 어제보다 추운 것 같습니다.

3) 저는 물건을 살 때 값보다 질을 더 중요하게 생각합니다.

3. −았/었/였으면 하다

1) 약속 시간을 바꾸었으면 합니다.

I would like to change the time of our appointment.

2) 저는 한국말을 잘 했으면 합니다.

3) 가: 무슨 문제가 있습니까?

　나: 네, 이 일을 좀 도와주셨으면 합니다.

🖊 연습 (Practice)

1. Match casual events on the left to resultant events on the right.

1) 저는 내일 친구를 만 납니다.   •

2) 요즘 건강이 좋지 않 습니다.   •

3) 큰 가방이 필요합니다.   •

⑦ 같이 영화를 보기로 했습니다.

⑪ 남대문시장에 가서 사기로 했습니다.

⑭ 아침에 운동을 하기 로 했습니다.

2. Choose the sentences that cohere with the facts in the boxes.

1)   영수의 키: 176cm   진수의 키: 172cm

① 영수가 진수보다 키가 더 큽니다.
② 진수가 영수보다 키가 더 큽니다.
③ 영수와 진수의 키가 똑같습니다.

2)   영수의 외국어 점수
     영어: 65점   일본어: 95점

① 영수는 영어보다 일본어를 잘 합니다.
② 영수는 일본어보다 영어를 잘 합니다.
③ 영수는 영어와 일본어를 똑같이 잘 합니다.

3)   우리 가족: 3명   친구 가족: 5명

① 우리 가족이 친구 가족보다 많습니다.
② 우리 가족이 친구 가족보다 적습니다.
③ 우리 가족의 수와 친구 가족의 수가 똑같습니다.

3. Make suitable responses to Speaker 가.

1) 가 : 요즘 많이 피곤하세요?

    나 : 네, _____

    ① 좀 피곤했으면 해요.

    ② 일이 많았으면 해요.

    ③ 좀 쉬었으면 해요.

2) 가 : 제 말이 어렵습니까?

    나 : 네, _____

    ① 저에게 말을 해 주셨으면 해요.

    ② 좀 더 쉽게 말씀해 주셨으면 해요.

    ③ 좀 어려웠으면 해요.

3) 가 : 외국어를 배우고 싶으세요?

    나 : _____

    ① 영어를 배웠으면 해요.

    ② 예, 영어를 가르쳤으면 해요.

    ③ 영어가 재미있었으면 해요.

>>> **과제** Task

1 과제 1 (Task 1)

1. Do you often make an appointment? If so, do you always keep it? Talk about your experiences.

2. The following passage describes an appointment made by two (the author and his friend). Read and answer the questions.

오늘은 진수를 만났습니다. 진수가 다음 주에 미국으로 유학을 가기 때문입니다. 우리는 저녁 여섯 시에 대학교 근처에 있는 음식점에서 만나기로 했습니다.

나는 회사 일을 일찍 끝내고 ㉠약속 장소에 갔습니다. 다섯 시 오십 분이었습니다.

진수는 ㉡약속 시간보다 20분쯤 늦게 왔습니다. 퇴근 시간이어서 교통이 복잡했기 때문입니다. 우리는 저녁을 먹으면서 이야기를 많이 했습니다. 아주 즐거웠습니다.

1) 위의 글에서 '㉠약속 장소'와 '㉡약속 시간'을 찾으십시오.

㉠ 약속 장소 : _____

㉡ 약속 시간 : _____

2) 이 사람은 왜 진수를 만났습니까?

3) 이 사람들은 만나서 무엇을 했습니까?

3. Think of a recent appointment you made and fill in the blanks. Talk with your friend about it.

이 름	약속 시간	약속 장소	만나서 한 일	기타

2 과제 2 (Task 2)

1. In case something unexpected happens, what would you do with an already-made appointment?

2. This is an e-mail Mr. Lee sent to Mr. Kim. Read and answer the following questions.

보낸 사람 : 이진수 〈insoo@samil.co.kr〉
받는 사람 : 김용환〈kimyonghwan@hanmial.net〉
제목 : 이진수입니다

　　김 사장님께

　　안녕하십니까? 삼일 회사의 이진수입니다. 여러 번 전화를 드렸지만 안 계셔서 이렇게 이메일을 보냅니다. 갑자기 중요한 회의가 생겨서 내일 약속을 연기했으면 합니다. 정말 죄송합니다. 이 메모 보시면 저에게 전화해 주시기 바랍니다. 저의 휴대전화 번호는 017-623-4867입니다.

　　안녕히 계십시오.

　　　　　　　　　　　　　　　　　　　　　　　　이진수 드림

1) 이진수 씨는 왜 이메일을 보냈습니까?

　　① 약속을 하고 싶어서　　　　　② 약속을 취소하고 싶어서

　　③ 약속을 연기하고 싶어서

2) 위의 내용과 다른 문장을 고르십시오.

　　① 이진수 씨는 김 사장님에게 여러 번 전화했습니다.

　　② 이진수 씨는 내일 중요한 회의가 있습니다.

　　③ 이진수 씨는 017-623-4867로 전화할 것입니다.

3. If you were Mr. Kim and made a call to Mr. Lee, what would you say to him about his request?

3 과제 3 (Task 3)

1. What would you do if you visited someone and found that they had been out?

      □ 종이 메모를 남김   □ 음성 메시지를 남김

      □ 문자 메시지를 남김   □ 다른 사람에게 부탁함

      □ 기타

2. Look at the note and answer the questions.

> 김진수 씨.
>
> 할 이야기가 있어서 왔지만 안 계셔서 메모를 남깁니다. 저녁에 갑자기 중국에서 손님이 오셔서 오후에 회의를 하기로 하였습니다. 시간과 장소는 다음과 같습니다.
>
> 오후 3시, 5층 회의실
>
> 저는 지금 밖에 나갑니다. 사무실에는 오후 1시쯤 들어옵니다. 그 전에는 011-264-3847로 전화해 주십시오.
>
> 10시 25분
> 무역부 최영환

1) 최영환 씨는 왜 김진수 씨의 사무실에 왔습니까?

2) 오전에 최영환 씨와 연락하고 싶으면 어떻게 해야 합니까?

    ① 최영환 씨 사무실에 갑니다.

    ② 최영환 씨 사무실로 전화합니다.

    ③ 최영환 씨가 남긴 전화번호로 전화를 합니다.

3. What would you write in a note in case you want to postpone a meeting?

약속 promise	(모임의) 약속 appointment	-기로 하다 to plan/decide to
카메라 camera	-보다 (rather) than-; *comparative particle*	
질 quality	생각하다 to think	바꾸다 to change
똑같다 to be the same	외국어 foreign language	점수 score
-았/었/였으면 하다 to hope to	문제 problem	똑같이 also, equally
퇴근 시간 closing time, time one leaves from his/her work		유학 studying abroad
교통 traffic	사장님 president; head of a company	
삼일 회사 Sam-il Company	여러 번 many times	이렇게 as so
메일 mail	전화를 드리다 to telephone (*honorific for* 전화를 하다)	
갑자기 suddenly	생기다 to happen	종이 paper
휴대전화 번호 mobile phone number		부탁하다 to ask for
회의실 conference room	들어오다 to enter, to come in	무역부 trade department

>>> 자기 평가 Self-Assessment

Do you have a full understanding of what you have studied in this chapter? Assess your Korean on the scale of 1 to 3, with 3 being the best score. (Study more if necessary).

Assessment Item	Self-Assessment		
1. Do you understand appointment/promise-relevant vocabulary?	1	2	3
2. Can you understand the three grammatical items (-보다, -기로 하다, and -았/었/였으면 하다) and their relevant expressions?	1	2	3
3. Can you read and understand simple writings concerning an appointment?	1	2	3
4. Can you read and understand letters or notes in which one makes/postpones an appointment?	1	2	3

한국의 문화 (Korean Culture) : Korean traditional paintings

Korean traditional painting shows the creative vigor and aesthetic sense of the Korean people. During the Yi Dynasty, professional painters usually produced landscapes at the request of noble families. Kim, Hongdo filled his canvases with scenes from the daily lives of the gentry, farmers, artisans and merchants. His precise but humorous depictions of subjects expressed the traditional Korean character. Following Japan's annexation of Korea in 1910, the traditional style of painting was gradually overshadowed by Western-style oil painting.

"Seodang"(private school) by Kim, Hong-do

"Geumgang Jeondo"(Panoramic view of the Geumgangsan Mt.) by Jeong, Seon

20 Traffic
교통

⋯GOALS

To understand short passages about transportation and traffic.

● VOCABULARY : Transportation, Traffic
● GRAMMAR : -(이)나, -(으)로 갈아타다, -밖에 (안/못/없다/모르다)
● Korean Culture : Railway service in Korea

>>> 들어가기 Introduction

1. 거리의 모습이 어떻습니까? 이 사람들은 지금 무엇을 타고 있습니까?

2. 여러분은 학교나 직장에 무엇을 타고 갑니까? 시간이 얼마나 걸립니까?

>>> **어휘** Vocabulary

Let's study transportation/traffic-relevant expressions..

1 교통수단 (Transportation)

버스 bus	지하철 subway
택시 taxi	자동차 car
기차 train	비행기 airplane
배 ship	자전거 bicycle
오토바이 motorcycle	

2 교통 관련 어휘 (Traffic-relevant expression)

타다 to get on; to get in　　내리다 to get off

갈아타다 to transfer to another (vehicle)

운전하다 to drive	주차하다 to park
(길이) 복잡하다 to be busy	(길이) 막히다 to be blocked
(차가) 밀리다 to be in a traffic jam	(30분) 걸리다 to take (30 minutes)
버스 정류장 bus stop	역 station
공항 airport	버스 터미널 bus terminal
주차장 parking lot	(1)번 버스 bus no. (1)
지하철 (1)호선 subway line no. (1)	

Let's study three patterns: (1) −(이)나 that means "or something" and indicates a selection; (2) −(으)로 갈아타다 expressing to transfer to another (vehicle); (3) −밖에 (안/못/없다/모르다) that means "nothing/no one/no ... but" and indicates the speaker's expectation is not met.

1. −(이)나

1) 버스나 지하철을 타고 가십시오. Take the bus or the subway.
2) 종로나 시청 앞에 가면 버스를 탈 수 있습니다.
3) 이번 토요일이나 일요일에 만납시다.

2. −(으)로 갈아타다

1) 먼저 버스를 타고 가십시오. 그리고 시청 앞에서 지하철로 갈아타십시오. First, take the bus and then transfer to the subway in front of City Hall.
2) 학교 앞에서 38번 버스를 타십시오. 그리고 시청 앞에서 32번 버스로 갈아타십시오.
3) 먼저 지하철 1호선을 타십시오. 그리고 서울역에서 4호선으로 갈아타십시오.

3. −밖에 (안/못/없다/모르다)

1) 집에서 회사까지 이십 분밖에 안 걸립니다.

   It just takes 20 minutes to get from my house to the office.
2) 어제는 일이 많아서 세 시간밖에 못 잤습니다.
3) 거기에 가는 교통편은 버스밖에 없습니다.

연습 (Practice)

1. Read and write the answer.

1) 한국어와 모국어로 이름을 쓰십시오.

2) 개나 고양이를 그리십시오.

3) 이메일 주소나 전화번호를 쓰십시오.

2. Choose the appropriate answer.

1) 먼저 2번 버스를 타십시오. 그리고 시청 앞에서 5번 _____ 갈아
타십시오.

   ① 버스를   ② 버스로

2) 먼저 30번 버스를 타십시오. 그리고 한국대학교 앞에서 _____
갈아타십시오.

   ① 버스를   ② 버스로

3) 32번 버스를 타고 서울역에서 내리십시오. 그리고 지하철 _____
갈아타십시오.

   ① 4호선을   ② 4호선으로

3. Choose the appropriate answer.

1) 집에서 회사까지 아주 가깝습니다. 10분밖에 _____.

   ① 걸립니다   ② 조금 걸립니다   ③ 안 걸립니다

2) 오늘 모임에 교코 씨는 안 왔습니다. 마이클 씨도 안 왔습니다. 샤오칭 씨만 _____.

   ① 왔습니다   ② 안 왔습니다   ③ 없습니다

3) 저는 아직 배를 못 타 봤습니다. 비행기밖에 _____.

   ① 탔습니다   ② 타 봤습니다   ③ 못 타 봤습니다

>>> 과제 Task

1 과제 1 (Task 1)

1. How do you travel to your school or work? Do you use one mode of transportation only? Otherwise, how many modes of transportation do you use? How long does it take you to commute between your home and work/school?

2. The following passage describes how the author gets from his/her home to work. Read and answer the questions.

저희 집은 회사에서 멉니다. 출근 시간에는 회사까지 보통 한 시간 정도 걸립니다.

저는 오전 7시 반쯤 집에서 나옵니다. 먼저 집 앞에서 10번이나 15번 버스를 타고 동대문역까지 갑니다. 집에서 지하철역까지는 거리가 2킬로미터밖에 안 됩니다. 그렇지만 길이 막히기 때문에 10분쯤 걸립니다. 버스에서 내린 다음에는 지하철로 갈아탑니다.

출근 시간에 지하철 안에는 사람들이 무척 많습니다. 그렇지만 지하철이 버스보다 훨씬 빠르기 때문에 저는 지하철을 자주 이용합니다.

1) 이 사람은 회사에 무엇을 타고 갑니까?

2) 이 사람은 어디에서, 무엇으로 갈아탑니까?

3. What mode of transportation do your friends use? How long does it take for them to get to their school or work? Talk with your friends.

2 과제 2 (Task 2)

1. What traffic signs do you encounter in your daily life? Recall them.

2. The following are traffic signs you can often encounter. Match a sign and its corresponding description.

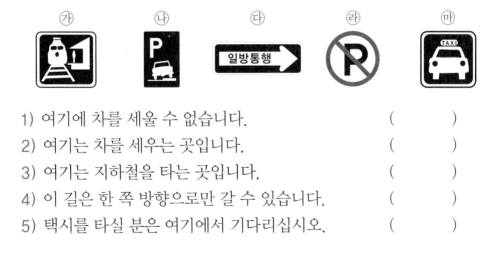

1) 여기에 차를 세울 수 없습니다.   (   )
2) 여기는 차를 세우는 곳입니다.   (   )
3) 여기는 지하철을 타는 곳입니다.   (   )
4) 이 길은 한 쪽 방향으로만 갈 수 있습니다. (   )
5) 택시를 타실 분은 여기에서 기다리십시오.   (   )

3. What other signs can you see?

3 과제 3 (Task 3)

1. What modes of transportation do the residents of your city usually use? Does your city have a subway system?

2. The following passage describes traffic conditions in Seoul. Read and answer the questions.

서울은 인구가 천만 명이 넘는 큰 도시입니다. 차도 많고 길도 복잡해서 출퇴근 시간에는 길이 많이 막힙니다.

서울에는 자가용 승용차를 이용하는 사람이 많습니다. 그러나 버스나 지하철을 이용하는 사람은 더 많습니다.

버스는 서울의 구석구석까지 다녀서 편리합니다. 그러나 길이 막힐 때는 시간이 많이 걸립니다. 지하철을 타면 버스보다 빨리 갈 수 있습니다. 그리고 지하철 안에서 책도 읽을 수 있기 때문에 출퇴근하는 사람들이 많이 이용합니다. 그래서 요즘은 지하철을 이용하는 사람이 늘고 있습니다.

1) 위의 내용과 다른 문장을 고르십시오.

① 서울 사람들은 버스나 지하철을 많이 이용합니다.

② 지하철이 서울의 구석구석까지 다녀서 편리합니다.

③ 요즘은 지하철을 타는 사람들이 늘고 있습니다.

2) 왜 사람들이 지하철을 많이 이용합니까?

3. Refer to the passage above, and then describe traffic conditions in your city.

새 단어 New Words

교통 traffic	-(이)나 or (something)	종로 Jongno
-(으)로 갈아타다 to transfer to another (vehicle)		-밖에 (부정) only
모국어 mother tongue	고양이 cat	-아/어/여 보다 to try to
멀다 to be far	출근 시간 time to get to work	정도 about or so
킬로미터 kilometer	차를 세우다 to stop a car	한쪽 방향 one way
-만 only	분 person(*honorific for* 사람)	인구 population
넘다 to exceed	도시 city	자가용 private car
승용차 motorcar, car	구석구석 everywhere, all over	늘다 to increase
출퇴근 going to work and leaving one's office		-고 있다 to be -ing

>>> 자기 평가 Self-Assessment

Do you have a full understanding of what you have studied in this chapter? Assess your Korean on the scale of 1 to 3, with 3 being the best score. (Study more if necessary).

Assessment Item	Self-Assessment		
1. Have you learned transportation/traffic-relevant expressions?	1	2	3
2. Have you learned how to use −(이)나, −(으)로 갈아타다, −밖에?	1	2	3
3. Can you explain common traffic signs in Korean?	1	2	3
4. Can you understand short writings relevant to traffic?	1	2	3

>>> 한국의 문화 (Korean Culture) : Railway service in Korea

The Korean National Railroad operates super-express, express and local trains along an extensive network covering almost every corner of the country. Super-express trains link Seoul with Daegu, Busan, Gwangju, and Mokpo. The super-express and express trains include dining cars and sleeper carriages for overnight trains.

Answer

1과 자기소개 Self-Introduction

[문장 읽기 연습]

1) ② 2) ① 3) ②

[과제]

1-2. 1) 네 2) 아니요 3) 네 4) 아니요

2-2. 1) 이민수 2) 회사원

3-2. 1) 수잔 베이커 2) 미국 사람

　　　 3) 학생

2과 동작 Action

[문장 읽기 연습]

1) ③ 2) ① 3) ③

[과제]

1-2. 1) 마이클 씨 2) 제임스 씨

　　　 3) 수진 씨 　　 4) 다나카 씨

2-2. 1), 2), 4)

3-2. 2), 4)

3과 위치 Location

[문장 읽기 연습]

1) ○ 2) ○ 3) × 4) × 5) ○

[과제]

1-2. 1) ③ 2) ② 3) ④

2-2. 1) 마이클 씨 2) 수진 씨

　　　 3) 제임스 씨

3-2. 1) ④ 2) ② 3) ①

4과 수 Number

[문장 읽기 연습]

1. 1)–③ 2)–① 3)–②

2. 1) ① 2) ②

3. 1) ③ 2) ②

[과제]

1-2. 일본 사람 (3)　 중국 사람 (2)

　　　 러시아 사람(1)　 미국 사람 (4)

1-2. in Seoul

2-2. ③

3-2. 1) 1981년 2월 15일

　　　 2) 한국대학교 기숙사 405호

5과 일상 생활 Daily Life

[문장 읽기 연습]

1. 1) ① 2) ② 3) ③

2. 1) × 2) ○ 3) ○

[과제]

1-2. 1) ① 학교 ② 운동

   2) ③

2-2. 1) ③ 2) ②

3-2. 1) 오전 / 열 시 반 2) ③

6과 가족 Family

[문장 읽기 연습]

1. 2), 4), 5), 6)

2. 1) 안 2) × 3) 안

3. 1) 에게 2) 에서 3) 에게 4) 에

4. 1), 6)

[과제]

1-2. 1) 6명

   2) ①-라, ②-가, ③-마, ④-다

2-2. 1) 아버지, 어머니, 나

   2) ① 3) so

3-2. 1) ② 2) 도시락을 먹습니다.

7과 주말 Weekend

[문장 읽기 연습]

1. 2), 4), 5)

2. 1) ② 2) ③, ④ 3) ①

[과제]

1-2. ①, ③, ⑤

2-2. 1) 지난 2) 이번 3) 지난

   4) 이번 5) 이번

8과 물건 사기 Shopping

[문장 읽기 연습]

1. 1) 저 2) 그 3) 이

2. 1) 우체국 2) 식당 3) 영화관

3. 1) ② 2) ③ 3) ②

[과제]

1-2. 1) 가방을 사러 갔습니다.

   2) ③

2-2. 1) ⑤, ②, ④

   2) ①, ③

3-2. 1) ○ 2) ○ 3) × 4) × 5) ○

9과 음식 Food

[문장 읽기 연습]

1. 1) ○   2) ×   3) ×
   4) ×   5) ○   6) ○
2. 1) 에서,   2) 중에서   3) 중에
3. 1) ①   2) ②   3) ②   4) ①

[과제]

1-2. 1) ③   2) 불고기와 냉면
2-2. 1) 김치찌개   2) 냉면
     3) 불고기 / 돼지갈비
3-2. 1) ×   2) ○   3) ○

10과 계절 Season

[문장 읽기 연습]

1. 1) ②   2) ②   3) ①
   4) ②   5) ②   6) ①
2. 1) ②   2) ①   3) ①

[과제]

1-1. ①-라,   ②-다,
     ③-나,   ④-가
1-2. 1) 가을   2) ①
2-2. 1) 바닷가에 갑니다.   2) ①
3-2. 1) 춥습니다.
     2) 스키장에 갈 것입니다.

11과 날씨 Weather

[문장 읽기 연습]

1. 1), 4)
2. 1) ①   2) ②   3) ②
3. 1) ③   2) ②   3) ①

[과제]

1-1. 토요일-②, 일요일-③, 월요일-①
1-2. ②
2-2. 1) ③   2) ③   3) ③
3-2. 1) 10 / 15   2) 흐린 날씨
     3) 바람이 불지만 맑은 날씨

12과 길 찾기 Getting Directions

[문장 읽기 연습]

1. 1) 에   2) 으로   3) 에   4) 으로
2. 1) 건너서   2) 가서   3) 내려가서
3. 1) ②   2) ①   3) ②

[과제]

1-2. ①
2-2. ①, ③
3-2. 1) 6월 24일 오후 6시, 제임스 집
     2) ②

13과 감사와 초대

Thanks and Invitation

[문장 읽기 연습]

1. 1)-㉯, 2)-㉮, 3)-㉰
2. 1) ② 2) ① 3) ②
3. 1) ② 2) ① 3) ②

[과제]

1-2. 1) ② 2) 즐겁고 편했습니다.
2-1. 1) ② 2) 한국말을 가르쳐 줘서
3-2. 1) 송년 모임
  2) 2007년 12월 22일 오후 6시
  3) 서울호텔 3층 한식당

14과 여행 Travel

[문장 읽기 연습]

1. 1) ② 2) ② 3) ①
2. 1) ○ 2) × 3) ○
3. 1) ② 2) ② 3) ②
4. 1) ② 2) ① 3) ①

[과제]

1-2. 1) ○ 2) ○ 3) × 4) × 5) ○
2-2. 1) 7월 22일 오전 10시,
  인천공항 3번 게이트 앞으로

가야 합니다.
  2) 722-7755로 전화합니다.
3-2. 1) × 2) × 3) × 4) ○ 5) ○

15과 학교 생활 School Life

[문장 읽기 연습]

1. 1) 의 2) 에서 3) 에게
  4) 의 4) 에,에서 6) 로, 에게
2. 1)-㉯, 2)-㉮, 3)-㉰
3. 1) ③ 2) ①
4. 1) ③ 2) ② 3) ① 4) ③

[과제]

1-2. 1) ③ 2) 한국 문화
2-2. 1) ②
  2) 차를 마십니다, 텔레비전을 봅니다,
  새 소식을 봅니다,
  친구들과 이야기를 합니다
3-2. 1) ③ 2) ②

16과 취미 Hobby

[문장 읽기 연습]

1. 1) ③ 2) ① 3) ②
2. 1) 하루에 2) 한 개에 3) 한 사람에

3. 1) ② 2) ② 3) ③

[과제]

1-2. 1) 한 달에 한 번 2) ②

2-2. 1) ① 2) 바빠서 3) ②

3-2. 1) ① 2) 수영복과 도시락

3) ②

17과 건강 Health

[문장 읽기 연습]

1. 1) 건강 2) 부모님 3) 나라

2. 1) ② 2) ② 3) ①

3. 1) ② 2) ① 3) ②

[과제]

1-2. 1) 머리가 아프고 열이 납니다.

2) ②, ③

2-2. 1) ①, ②

3-2. 1) ③ 2) ① 3) ④ 4) ②

18과 편지 Letter

[문장 읽기 연습]

1. 1) 선생님, 안녕하세요?

2) 어제 오래간만에 친구에게

편지를 썼어요.

3) 누구나 편지를 받으면 기분이

좋아요.

4) 요즘 어떻게 지내세요?

5) 저에게 중국말을 가르쳐 주세요.

6) 여기에 앉으세요.

2. 1) ① 2) ③ 3) ② 4) ① 5) ③

3. 1) ② 2) ① 3) ② 4) ② 5) ①

[과제]

1-2. 1) 케인 씨가 수진 씨에게 2) ②

2-2. 1) 회의가 있어서 2) ③

3-2. 1) ① 2) ①

19과 약속 Appointments

[문장 읽기 연습]

1. 1)-㉮, 2)-㉰, 3)-㉴

2. 1) ① 2) ① 3) ②

3. 1) ③ 2) ② 3) ①

[과제]

1-2. 1) ㉠ 대학교 근처에 있는 음식점

㉡ 저녁 여섯 시

2) 진수가 다음 주에 유학을 가기

때문에

3) 저녁을 먹으면서 이야기했습니다.

2-2. 1) ③   2) ③

3-2. 1) 할 이야기가 있어서 /

회의 시간이 바뀐 것을 알려 주려고

2) ③

20과 교통 Traffic

[문장 읽기 연습]

2. 1) ②   2) ①   3) ②

3. 1) ③   2) ①   3) ③

[과제]

1-2. 1) 버스와 지하철

2) 동대문역에서 지하철로

갈아탑니다.

2-2. 1) 라   2) 나   3) 가   4) 다   5) 마

3-2. 1) ②

2) 빨리 갈 수 있고 안에서 책을

읽을 수 있어서

Index

ㄱ

–가 subject particle	40
가게 store	53, 81
가깝다 to be close	162
가끔 sometimes	151, 155
가다 to go	27
가르치다 to teach	70
가방 bag	35
가볍다 to be light	171
가수 singer	17
가을 autumn	88, 99
가지고 가다 to bring	70
갈비 galbi	91
갈비탕 galbitang	91
갈아타다 to transfer to another (vehicle)	193
감기에 걸리다 to catch a cold	165
감사합니다. Thank you.	125
갑자기 suddenly	190
값 price	81
강 river	135
강당 auditorium	145
강습 lesson	141
강의 lecture	145
강의실 classroom	145
같이 with, together	32, 96
개 dog	50
개 counter for objects	50
개다 to clear up	107
거기 there	122
거리 distance	171
건강 health	165, 171
건강하다 to be healthy	132, 165
걸리다 to take (time)	135, 193
게시판 bulletin board	151
게이트 gate	141
–겠습니다 will	112
겨울 winter	99
결혼 marriage	132
경제(학) economics	145
경찰관 police officer	171
경험을 쌓다 to enrich one's experience	162
계단 stairs	171
계산서 bill	91
계속 continuously	112
계시다 to be (honorific)	63
계절 season	104
–고 and	78
–고 싶다 to be willing to	70
–고 있다 to be –ing	198
고기 meat	96
고등학교 high school	70
고르다 to choose	81
고맙습니다.Thank you.	125
고양이 cat	198
고향 hometown	141
골프를 치다 to play golf	155
골프장 golf course	141
곳 place	141
공무원 civil servant	17
공부하다 to study	27

공원 park		78
공중전화기 public telephone		40
공 balloon		151
공항 airport		59, 193
−과 and		40
과목 subject		145
과일 fruit		88
과자 cookies		81
과장 section chief		141
과학 science		145
관광 안내서 tourist guidebook		135
관광객 tourist		135
관광버스 sightseeing bus		135
관광지 tourist resort		135
관광하다 to take a tour		135
광고 advertisement		162
광주 Gwangju (city name)		70
교실 classroom		50, 145
교통 traffic		190, 198
교회 church		78
구 nine		43
구경하다 to look around		112
구경하다 to sightsee		135
구두 shoes		88
구름이 끼다 to be cloudy		112
구석구석 everywhere, all over		198
구십 ninety		43
구함 wanted		151
국 soup		91
국적 nationality		23

군인 soldier		171
권 *counter for volumes*		50
귀하 dear		175
귀 ear		165
그 the		88
그래서 so, therefore		70
그럼 well		180
그렇지만 but		70
그리고 and, then		32
그리다 to draw		122
그림 picture		122
그림을 그리다 to draw a picture		155
극장 theater		53
근무하다 to work		132
근처 near		112
금요일 Friday		73
급 level		50
−기 to (do), (do)ing		122
−기 때문이다 because		151
−기 바라다 to hope to (do)		132
−기 전에 before (do)ing		141
기간 period		88
기다리다 to wait		151
−기로 하다 to plan/decide to		190
기분 feeling		78
기숙사 dormitory		35, 145
기온 temperature		107
기차 train		193
기침을 하다 to cough		165
기타 etc.		78

기회 opportunity 180

길 road 115

길 찾기 getting directions 122

길을 건너가다 to cross the road 115

(길이) 막히다 to be blocked 193

(길이) 복잡하다 to be busy 193

김치찌개 kimchi jjigae 91

까만색 black (color) 99

까맣다 to be black 99

–까지 to, until 59

깨끗하다 to be clean 88

–께 to (*honorific*) 104

–께서 subject particle (*honorific*) 70

–께서는 topic particle (*honorific*) 70

꼭 certainly, surely 132

꽃 flower 70

끝나다 to end 141

ㄴ

–ㄴ *present–tense modifier* 141

–ㄴ 것 같다 it seems that 171

–나 or (something) 198

나 I 32

나가다 to go out 112

나라 country 171

나이 age 78

나이아가라 폭포 Niagara Falls 141

낚시를 하다 to go fishing 155

낚시 fishing 112

날씨 weather 104, 112

날마다 everyday 104

(날씨가) 나쁘다 to be bad weatherr 107

(날씨가) 좋다 to be fine weather 107

남(자) male 78

낮 day 112

내년 next year 132

내다 to pay 162

내려가다 to go down 115

내리다 to get off 193

내일 tomorrow 53

냉면 naengmyeon 91

넘다 to exceed 198

네 yes 23

네 four 50

넷 four 43

년 year 50

노란색 yellow (color) 99

노랗다 to be yellow 99

농구를 하다 to play basketball 155

높다 to be high 96

누가 who 70

누구나 anyone 162

누구 who 70

누나 older sister 63

눈 snow 104

눈 eye 165

눈사람 snowman 104

눈이 오다/내리다 to snow 107, 112

뉴욕대학교 New York University 50

−는 modifier 96

−는 것 (do)ing, to (do) 162

늘다 to increase 198

늦게 late 78

ㄷ

다 all, every 96

다니다 to go 70

다르다 to be different 122

다리 leg 165

다섯 five 43

다시 again 132

다음 next 78

다치다 to get hurt 171

닫다 to close 180

달 month 132

달다 to be sweet 91

달리다 to run 162

답장을 쓰다 to write a reply 175

답장 reply 180

대단히 very 132

대답하다 to answer 180

대사관 embassy 35

대학교 college, university 59

대학생 college student 23

대학원 graduate school 151

대 counter for vehicles, machines 50

댁 home 63

더 more 88

덕분에 thanks to 132

덥다 to be hot 99

데이트를 하다 to go on a date 73

−도 too, also 50

도서관 library 59, 145

도시락 packed lunch 70

도시 city 198

도착하다 to arrive 135

도 degree 107

독서 reading 78

독일 Germany 23

돈 money 162

돌아가다 to turn back 115

돌아가시다 to pass away (honorific) 63

돕다 to help 132

동대문시장 Dongdaemun sijang (market) 180

동생 younger brother or sister 63

동안 for, during 132

되다 to become 104

두 two 50

둘째 second 171

둘 two 43

뒤 behind, back 35

드림 from, Yours sincerely (honorific) 141

드시다 to eat (honorific) 63

듣다 to listen 27

−들 plural suffix 59

들어오다 to enter, to come in 190

등 back 165

등 etc. 88

등산하다 to climb a mountain 73

등산 mountain climbing 70

따뜻하다 to be warm 88, 99

때 time 104

떠나다 to leave 162

똑같다 to be the same 190

똑같이 also, equally 190

똑바로 가다 to go straight 115

ㄹ

–ㄹ *future-tense modifier* 180

–ㄹ 거예요 will, to be going to 180

–ㄹ 것이다 to be going to, will 78

–ㄹ 때 when -ing 161

–ㄹ 수 있다 can 88

–ㄹ 수 있다/없다 can/cannot 112

–러 가다/오다

    to come/go to (*purposive ending*) 88

러시아 사람 Russian 17

–려고 하다 to be willing to 141

–로 to 122

–로 to 88

–로 갈아타다

    to transfer to another (vehicle) 198

–를 *objective particle* 32

–를 위해서 for 171

ㅁ

–마다 each, every 122

마리 *counter for animals, fish, birds* 50

마시다 to drink 27

마음에 들다 to be satisfied with 81

만 ten thousand 81

–만 only 198

만나다 to meet 27

만나서 반갑습니다. Nice to meet you. 32

만들다 to make 104

많다 to be a lot 88

많이 many, much 32

말씀하시다 to tell (*honorific*) 63

말하다 to speak 27

맑다 to be clear 104, 107

맛이 없다 to be untasty 91

맛이 있다 to be delicious 91

맛있게 with relish 70

맛있다 to be delicious 88

매일 everyday 104, 162

맵다 to be spicy 91

머리 head 165

먹다 to eat 27

먼저 first, ahead 151

멀다 to be far 198

메뉴 menu 91

메모를 남기다 to leave a message 183

메일 mail 190

–면서 while -ing 151

–면 if 88

명 counter for persons, people 50

몇 how many, much 50

모국어 mother tongue 198

모두 all, every 122

모레 the day after tomorrow 180

모르다 not to know 104

모이다 to come together 141

모임 meeting 132

목요일 Thursday 73

목 neck 165

몸 body 165

못 cannot 180

못하다 cannot 162

무료 free (of charge) 141

무슨 what 70

무엇 what 32

무역부 trade department 190

무역 회사 trading company 23

무척 very 132

문자 메시지를 보내다

    to send a text message 183

문제 problem 190

문학 literature 145

문화 culture 145

묻다 to ask 122

물 water 27, 81

뭘 what 88

미국 the United States (of America) 23

미국 사람 American 17

미안합니다. I'm sorry. 125

ㅂ

−ㅂ니다 to be 32

바꾸다 to change 190

바나나 banana 96

바다 sea 78

바닷가 seashore 104

바라다 to hope 180

바람 wind 104

바람이 불다 to be windy 107

바쁘다 to be busy 112

박물관 museum 180

밖 outside 35

−밖에 only 198

반찬 side dishes 96

반 half 53

받다 to receive 88

발 foot 165

밤 night 112

밥 boiled rice 27, 91

방 room 40

방문하다 to visit 141

방학 vacation 104, 145

배 pear 50

배 ship 78, 193

배 stomach 165

배우다 to learn 112

백 one hundred 43, 81

백만 one million 81

백화점 department store 53, 81

밴쿠버 Vancouver 141

버스 정류장 bus stop	115, 193	
버스 터미널 bus terminal	193	
버스 bus	193	
벌써 already	132	
변호사 lawyer	17	
별로 (안) rarely	155	
병원 hospital	35	
병이 나다 to get sick	165	
병이 낫다 to get well	165	
보내다 to send	40	
보다 to see	27	
−보다 than (comparative)	190	
보통 ordinarily, usually	78	
복잡하다 to be complicated	88	
복 fortune, blessing	132	
봄 spring	99	
봉투에 넣다 to put in an envelope	175	
부르다 to call	141	
부모님 parents	63	
부탁하다 to ask for	190	
−부터 from	59	
북한산 Bukhansan (Mt.)	70	
분 minute	53	
분 person (honorific expression)	198	
분위기 atmosphere	151	
불고기 bulgogi	91	
불다 to blow	104	
불편하다 to be uncomfortable	122	
비 rain	104	
비가 오다 to rain	107	

비누 soap	81
비디오테이프 video tape	151
비빔밥 bibimbap	91
비싸다 to be expensive	81
비용 expense	141
비타민 vitamin	171
비행기 airplane	141, 193
빌딩 building	96
빌리다 to borrow	151
빨간색 red (color)	99
빨갛다 to be red	99
빨래하다 to do laundry	73
빵 bread	27, 81

ㅅ

사 four	43
사거리 intersection	115
사과 apple	50
사귀다 to make friends with	151
사다 to buy	50, 81
사람 person	23
사무실 office	145
사십 forty	43
사우나 sauna	141
사장님 president	190
사진기 camera	162
사진을 찍다 to take a picture/photo	78, 155
사회 society	145
사회학 sociology	70

산책하다 to take a walk	73	
산 mountain	70	
살다 to live	70	
삼십 thirty	43	
삼일 회사 Sam-il Company	190	
삼 three	43	
새 소식 news	151	
새해 new year	132	
색종이 colored paper	151	
생각하다 to think	190	
생기다 to happen	190	
생선회 sliced raw fish	78	
생신 birthday	63	
생일 birthday	50	
생일 카드 birthday card	125	
생활 life	59	
생활용품 commodities	88	
생활하다 to live	122	
샤워를 하다 to take a shower	104	
샴푸 shampoo	81	
서다 to stand up	151	
서비스 service	180	
서울 Seoul	50	
서점 bookstore	122	
선물 gift	70	
선생님 teacher	17	
선선하다 to be fresh	99	
설문지 questionnaire	78	
설악산 Seoraksan (Mt.)	112	
성별 sex, gender	78	

세일 sale	88	
세 three	50	
셋째 third	171	
셋 three	43	
–셨습니다 past-tense (honorific)	70	
소개하다 to introduce	180	
소리 sound	171	
소파 sofa	35	
소포 parcel	175	
소풍 picnic	112	
속초 Sokcho (city name)	141	
손 hand	165	
손가방 handbag	151	
손님 guest	59	
송년 the old year out	132	
쇼핑하다 to go shopping	73	
쇼핑 shopping	78	
수 number	50	
수건 towel	81	
수상스키 water ski	141	
수업 class	145	
수영을 하다 to swim	104	
수요일 Wednesday	73	
숙제 homework	59	
숟가락 spoon	91	
쉬다 to rest	53, 73	
쉽다 to be easy	162	
슈퍼 supermarket	122	
슈퍼마켓 supermarket	81	
스카프 scarf	88	

스쿠버다이빙 scuba diving 162

스키를 타다 to ski 104, 155

스키장 ski slope 104

스포츠센터 sports center 53

−습니다 to be 32

승용차 car 198

시 o'clock 53

시간 time 78

시간을 늦추다 to delay 183

시간을 바꾸다 to change the time 183

시간이 나다 to have free time 162

시계 clock 35

시내 downtown 141

시다 to be sour 91

시원하다 to be cool 96, 99

시작하다 to begin 162

시장 market 78, 81

시청 City Hall 70

시키다 to order 91

시티즌 은행 Citizen Bank 180

시험을 보다 to take a test 141

식당 restaurant 35

식사를 하다 to have a meal 40

식탁 dining table 96

식품 food 88

신나게 elatedly 162

신다 to put on (shoes) 151

신문 newspaper 27

신호등 traffic lights 115

실례합니다. Excuse me. 122, 125

실수 mistake 132

십 ten 81

십만 one hundred thousand 81

십삼 thirteen 43

십이 twelve 43

십일 eleven 43

십 ten 43

−십니다 present-tense (honorific) 70

싱겁다 to be bland 91

싸다 to be cheap 81

쓰다 to be bitter 91

쓰다 to write 27

씨 Mr./Ms. 23

−씩 by 171

ㅇ

−아 주다 to do (for someone) 180

−아 주십시오 please do 122

−아 보다 to try to 198

아니요 no 23

아래/밑 under 35

아르바이트 part-time job 151

아름답다 to be beautiful 88

아버지 father 63

−아서 because 122

−아야 하다 must (obligation) 171

아주 very 59

아침 식사 breakfast 78

아침 morning 53

아파트 apartment 122

아프다 to be sick 165

아프리카 Africa 96

아홉 nine 43

악기 연주 playing of musical instruments 162

안 inside 35

안 not (*negative*) 70

안개가 끼다 to be foggy 107

안내 guidance 132

안녕 good-bye 171

안녕하십니까? Hello. 23

안녕히 계십시오. Good-bye. 132

안부 전하다 to give regards 180

앉다 to sit down 151

알 tablet 171

알다 to know 141

알리다 to notify 132

-았습니다 *past-tense final ending* 59

-았으면 하다 to hope to 190

-았을 때 when (*past-tense*) 171

앞 in front of 35

앞으로(도) from now on 132

야구를 하다 to play baseball 155

약속 promise, appointment 59, 183, 190

약속 시간 appointed time 183

약속 장소 appointed place 183

약속을 어기다
　　to break an appointment/a promise 183

약속을 지키다
　　to keep an appointment/a promise 183

약속하다
　　to make an appointment/a promise 183

약을 먹다 to take medicine 165

-어 주다 to do (for someone) 180

-어 주십시오 please (do) 122

어깨 shoulder 165

어느 which 104

어디 where 40

어떤 what, which 88

어떻게 how 122

어떻다 to be how 88

어렵다 to be difficult 122

어머니 mother 63

-어 보다 to try to 198

-어서 because 122

어서 quickly, fast 88

-어야 하다 must (*obligation*) 171

어제 yesterday 53

언니 older sister 63

언제 when 50

언제나 always 70, 155

얼굴 face 165

얼마예요? How much is it?
　　(*informal expression*) 88

얼마입니까? How much is it?
　　(*formal expression*) 88

없다 not to exist 40

-었습니다 *past-tense final ending* 59

-었으면 하다 to hope to 190

-었을 때 when (*past-tense*) 171

-에 at	40, 59	연세 age (*honorific*)	63
-에 per	162	연습하다 to practice	162
-에게 to	70, 132	연장영업 extended business hours	88
-에서 in, at	50	연필 pencil	50
-여 보다 to try to	198	연하장 New Year's card	125
-여 주다 to do (for someone)	180	열 ten	43
-여 주십시오 please (do)	122	열다 to open	88
여권 passport	151	열심히 eagerly	70
여기 here	96	열이 나다 to have a fever	165
여덟 eight	43	엽서 post card	125, 175
여러 several, many	141	-였습니다 *past-tense final ending*	59
여러 가지 various	70	-였으면 하다 to hope to	190
여러 번 many times	190	-였을 때 when (*past-tense*)	171
여러분 everyone, all of you	88	영국 사람 English (person)	17
여름 summer	99	영상 above zero	107
-여서 because	122	영어 English	88
여섯 six	43	영업 business	141
-여야 하다 must (*obligation*)	171	영하 below zero	107
여의도 Yeouido	96	영화 movie	27
여행 travel	135, 141	영화관 movie theater	78
여행 계획 plans for travel	135	영화를 보다 to watch a movie	73
여행 일정 travel itinerary	135	영화배우 actor/actress	23
여행사 travel agency	135	옆 beside	35
여행하다 to travel	73	예매하다 to purchase in advance	135
여(자) female	78	예쁘다 to be pretty	88
역 station	193	예술 arts	145
역사 history	145	예약하다 to reserve	135
연기하다 to postpone	183	오늘 today	32, 53
연락처 contact information	151	오다 to come	27
연락하다 to get in touch with	132	오래간만에 after a long time	180

오랫동안 for a long time	180	
오른쪽으로 가다 to turn right	115	
오빠 older brother	63	
오십 fifty	43	
오전 a.m.	53	
오토바이 motorcycle	193	
오 five	43	
오후 afternoon	53	
올라가다 to go up	112, 115	
올림 from, yours sincerely (honorific)		
	104, 175	
올해 this year	132	
옷 clothes	35	
옷장 wardrobe	35	
−와 and	40	
왜 why	88	
외국 foreign country	59	
외국 사람/외국인 foreigner	96	
외국어 foreign language	190	
외우다 to memorize	141	
외할머니 maternal grandmother	63	
외할아버지 maternal grandfather	63	
왼쪽으로 가다 to turn left	115	
요금 fee, charge	141	
요리하다 to cook	73	
우리 we	50	
우유 milk	59, 81	
우체국 post office	35	
우편번호 zip code	175	
우표를 모으다 to collect stamps	155	

우표를 붙이다 to put a stamp on	175	
우표 stamp	175	
운동 sports	32	
운동장 playground, field	145	
운동하다 to exercise/work out	27	
운동화 sports shoes	151	
운전하다 to drive	151, 193	
원 won	81	
월요일 Monday	73	
월 month	50	
위 on	35	
위치 location	40	
유명하다 to be famous	96	
유학 studying abroad	190	
유학생 student studying abroad	151	
육십 sixty	43	
육 six	43	
−으러 가다/오다		
to come/go to (purposive ending)	88	
−으려고 하다 to intend to / to be going to	141	
−으로 갈아타다 to transfer to another (vehicle)		
	198	
−으로 to	88, 122	
−으면서 while -ing	151	
−으면 if	88	
−으셨습니다 past-tense (honorific)	70	
−으십니다 present-tense (honorific)	70	
−은 것 같다 it seems that	171	
−은 topic particle	23	
−은 past-tense noun-modifying form	141	

은행 bank	35	
—을 *future-tense modifier*	180	
—을 objective particle	32	
—을 거예요 will, to be going to	180	
—을 것이다 to be going to, will	78	
—을 때 when	162	
—을 수 있다/없다 can/cannot	112	
—을 수 있다 can	88	
—을 위해서 for	171	
음료수 beverage	96	
음성 메시지를 남기다		
to leave a voice message	183	
음식 food	59, 96	
음식점 restaurant	96	
음악 music	32	
음악을 감상하다 to listen to music	155	
—의 *possessive particle*	59	
의견 opinion	180	
의사 medical doctor	17	
의자 chair	35	
이 this	23, 88	
이 two	43	
—이 *subject particle*	40	
이것 this	88	
이곳 here	88	
—이나 or	198	
이렇게 as so	190	
이름 name	23	
이메일 e-mail	59	
이메일을 보내다 to send an e-mail	175, 183	

이번 this time	78	
이십 twenty	43	
이야기를 하다 to talk	70	
이용 use	141	
이유 cause, reason	162	
이집트 사람 Egyptian	17	
이하 below, under	171	
인구 population	198	
인분 portion	96	
인 persons, people (*counter*)	141	
일 work	70	
일 date	50	
일 one	43	
일곱 seven	43	
일기예보 weather forecast	112	
일박 이일 2 days and 1 night	135	
일번 버스 No.1 bus	193	
일본 Japan	59	
일본 사람 Japanese	17	
일본어 Japanese (language)	112	
일상 생활 daily life	59	
일시 time	132	
일어나다 to get up	53	
일요일 Sunday	73	
일정 schedule	141	
일찍 early	112	
일하다 to work	53	
읽다 to read	27	
잃어버리다 to lose	122	
입 mouth	165	

입구 entrance 151

−입니까? to be

    (*deferential style for interrogative ending*)

    23

−입니다 to be

    (*deferential style for declarative ending*) 23

입다 to wear 162

있다 to exist 40

ㅈ

자가용 private, personal use 198

자다 to sleep 27, 53

자동차 car 151, 193

자동판매기 vending machine 40

자전거를 타다 to ride a bicycle 155

자전거 bicycle 193

자주 often 32, 155

작다 to be small, little 88

잘 well 96

잠을 자다 to sleep 171

장마 rainy season 99

장마철 rainy season 104

장소를 바꾸다 to change the place 183

장소 place 88

저 that 88

저기 there 96

저녁 evening 53

전 before 70

전공(하다) (to) major (in) 145

전혀 (안) never 155

전화기 telephone 35

전화를 걸다 to telephone 151

전화를 드리다 to telephone (*honorific*) 190

전화번호 telephone number 23

전화하다 to telephone 27

점수 score 190

점심 lunch time 53

점심시간 lunch time 59

젓가락 chopsticks 91

정도 about 198

정류장 (bus) stop 122

정말 real 132

정치 politics 145

제 my 96

제일 most 96

제주도 Jejudo (island) 112

조금씩 little by little 171

조금 a little 70

조깅 jogging 171

조깅하다 to jog 155

졸업하다 to graduate 104

좀 a little 78

종로 Jongno 198

종이 paper 190

좋다 to be good 78

죄송합니다. I'm sorry. 125

주 week 78

주다 to give 70

주로 mainly 88

주류 alcoholic liquors 96
주말 weekend 73, 78
주무시다 to sleep 63
주문하다 to order 91
주부 housewife 17
주사를 맞다 to have an injection 165
주소 address 23, 175
주의 사항 matters to be attended to 151
주인 owner 88
주일 week 162
주차장 parking lot 193
주차하다 to park 193
준비 운동 warm-up exercise 141
준비하다 to prepare 141
중국 사람 Chinese 17
중앙 center 151
중에 among 88
중에서 among 96
중요하다 to be important 171
즐겁다 to be happy 104
즐기다 to enjoy 155
-지 않다 not 112
지갑 purse 88
지금 now 50
지나가다 to pass 132
지난 last 78
지내다 to spend, live 104
지도 map 135
-지만 but 104
지점 branch office 132

지키다 to keep 151
지하 underground 88
지하도 underpass 115
지하철 subway 193
지하철 (1)호선 subway line (No. 1) 193
지하철역 subway station 115
직업 occupation 23
직원 employee 180
직장 생활 career life 162
진찰을 받다 to see a doctor 165
질 quality 190
질문 question 141
집 house 35
짜다 to be salty 91
-쯤 about, around, or so 122

ㅊ

참가비 participating fee 151
(차가) 밀리다 to be a traffic jam 193
(차를) 세우다 to stop the car 198
차 tea 171
참석하다 to attend 125
찾다 to search for 88
책 book 27
책상 desk 35
처음 first 96
천 one thousand 43, 81
천만 ten million 81
철학 philosophy 145

첫째 first		171
청소하다 to clean		73
청평 Cheongpyeong		161
체육관 gym	59,	145
초대를 받다 to be invited		125
초대장을 보내다 to send an invitation		125
초대장 invitation		125
초대하다 to invite	88,	125
최고 기온 the highest temperature		107
최근 lately		141
최저 기온 the lowest temperature		107
축구를 하다 to play soccer		155
축하하다 to congratulate		122
축하합니다. Congratulations.		125
출근시간 time to get to the office		198
출근하다 to go to work		53
출발하다 to start/depart	112,	135
출퇴근 go to and leave the office		198
춥다 to be cold		99
취미 생활 hobby		162
취소하다 to cancel		183
취직하다 to get a job		180
층 floor		50
치약 toothpaste		81
친구 friend		32
친절하다 to be kind		70
칠 seven		43
칠십 seventy		43
침대 bed		35
칫솔 toothbrush		81

ㅋ

카드 card		88
카메라 camera		190
캐나다 Canada		104
캐나다 사람 Canadian		17
커피 coffee		40
커피숍 coffee shop		53
컴퓨터 computer		35
코 nose		165
코스 course		141
코트 coat		88
콧물이 나다 to have a runny nose		165
크다 to be big/large		88
크리스마스 카드 Christmas card		125
키가 작다 to be short		104
키가 크다 to be tall		96
킬로미터 kilometer		198

ㅌ

타다 to ride, to get on	78,	193
탁자 table		35
태권도 Taekwondo		151
택시 taxi		193
테니스를 치다 to play tennis	112,	155
텔레비전 television	27,	35
토요일 Saturday		73
퇴근 시간 closing time of an office		190
퇴근하다 to leave the office		53
특급 호텔 premium hotel		141

특히 especially   161

ㅍ

파란색 blue (color)   99

파랗다 to be blue   99

파티 party   122

팔 arm   165

팔 eight   43

팔다 to sell   81

팔십 eighty   43

패러글라이딩 paragliding   112

팩스 fax   59

편지 letter   27, 125, 175

편지 봉투 envelope   175

편지를 받다 to receive a letter   175

편지를 보내다 to send a letter   175

편지지 letter paper   175

편찮으시다 to be ill (*honorific*)   63

편하다 to be comfortable   88

포도 grape   50

폭포 water falls   135

표를 사다 to buy a ticket   135

표지판 sign   122

푹 deeply   171

프랑스 사람 French   17

피곤하다 to be tired   59

피다 to bloom   104

피아노를 치다 to play the piano   155

필요하다 to be necessary   161

ㅎ

하나 one   43

하늘 sky   104

하다 to do   32

하루 one day   59

하얀색 white (color)   99

하얗다 to be white   99

하와이 Hawaii   141

학교 school   35

학교생활 school life   151

학년 grade   50

학생회관 student center   145

학생 student   17

한 one   50

한 번 once   132

한가운데 in the middle of   96

한국 Korea   23

한국 사람 Korean   17

한국말 Korean (language)   50

한국어 Korean (language)   32

한국학 Korean studies   70

한라산 Hallasan (Mt.)   141

한쪽 방향 one way   198

할머니 grandmother   63

할아버지 grandfather   63

할인 discount   88

함께 with, together   70

항상 always   155

해 year   132

해수욕장 swimming beach   141

행복하다 to be happy 132

허리 waist 165

형 older brother 63

호수 lake 135, 162

호주 사람 Australian 17

호텔 hotel 112

혼자서 by oneself, for oneself 96

혼자 alone 180

화가 artist 96

화요일 Tuesday 73

화장실 rest room 40

회 times (*counter*) 141

회비 membership fee 132

회사 company 53

회사원 office worker 17

회의실 conference room 190

회의 meeting 59

회화 conversation 151

횡단보도 crosswalk 115

후 after 78

휴가 holiday 141

휴게실 lounge 151

휴대전화 번호 mobile phone number 190

휴지 tissues 81

흐리다 to be cloudy 107